D1432432

Moi, Milanollo,
fils de Stradivarius

DU MÊME AUTEUR

Hôtel recommandé, Fayard, 1954.

De briques et de brocs, Fayard, 1956.

Drôles de numéros, Fayard, 1958, en collaboration avec Jacqueline Michel.

Si vous avez manqué le début, Albin Michel, 1976.

Chez Lipp, Denoël, 1981.

Les Dames du Faubourg, Denoël, 1984 ; Folio nº 1834, Gallimard.

Le Livre du cochon : la vie de cochon en 21 siècles d'histoire et 165 recettes de cuisine, avec Irène Karsenty, Philippe Lebaud, 1984.

Les Dames du Faubourg, tome II : Le Lit d'acajou, Denoël, 1986 ; Folio nº 2062, Gallimard.

Rétro-rimes : poèmes, Denoël, 1987.

Les Dames du Faubourg, tome III : Le Génie de la Bastille, Denoël, 1988 ; Folio nº 2280, Gallimard.

Les Violons du Roi, Denoël, 1990 ; Folio nº 2374, Gallimard.

Au temps où la Joconde parlait, Flammarion, 1992 ; J'ai lu nº 3443.

L'Empereur, Flammarion, 1994 ; J'ai lu nº 4186.

Les Dîners de Calpurnia, Flammarion, 1996 ; J'ai lu nº 4539.

La Fontainière du Roy, Flammarion, 1997 ; J'ai lu, nº 5204.

Les Ombrelles de Versailles, Flammarion, 1999 ; J'ai lu nº 5530.

Les Chevaux de Saint-Marc, Flammarion, 2000 ; J'ai lu nº 6192.

Le Printemps des cathédrales, Flammarion, 2002 ; J'ai lu nº 6960.

Demoiselles des lumières, Fayard, 2004 ; J'ai lu nº 7587.

La Chevauchée du Flamand, Fayard, 2005 ; J'ai lu (à paraître en 2007).

249, faubourg Saint-Antoine, Flammarion, 2006.

Jean Diwo

Moi, Milanollo,
fils de Stradivarius

roman

Flammarion

À Irène

Ouverture

Si je vous dis que je suis le Milanollo et que mon père s'appelait Antonio Stradivari, vous serez étonné sans doute, curieux sûrement. Je suis en effet un violon. Pas n'importe quel violon. Le plus grand des luthiers m'a créé en 1728. Je suis paraît-il un chef-d'œuvre !

Les premiers qui ont fait vibrer mes cordes étaient les musiciens du prince de Kothen, un seigneur saxon. C'était il y a longtemps, les humains diraient peut-être trois cents ans, mais nous, violons, ne comptons pas les années ou les siècles. Enfin, je suis toujours là, vaillant comme jamais, le temps n'ayant pas de prise sur mes formes délicates et mon vernis d'adolescent. Si j'en crois ceux prêts à dépenser des sommes colossales pour me posséder, je suis immortel, comme mes frères et mes cousins Amati et Guarneri.

Mais n'anticipons pas, j'ai tout mon temps pour vous égrener en majeur les triples croches de ma longue existence.

*

Lorsqu'on me voit pour la première fois, serré dans la main d'un virtuose ou posé sur un coussin de soie, on est, je le sais depuis toujours, frappé par la beauté de mon fond en érable et par les veines serrées d'épicéa qui s'élargissent sur les bords. Je ne parle pas du vernis orange doré qu'on peut, c'est ma fierté, admirer dans son éclat presque original.

Des géants sylvestres dont je suis né je voudrais tout savoir, mais je ne peux, hélas, que rassembler les souvenirs de conversations saisies au fil des jours, dans l'atelier de Crémone, entre mon père qui me construisait avec amour, son maître Niccolò Amati et le voisin Guarneri.

Ils parlaient du temps où le jeune Antonio Stradivari, qui commençait à assembler des violons aussi beaux que ceux des meilleurs luthiers de la ville, s'alarmait, et il n'était pas le seul, en voyant fondre dans l'abri où elles séchaient les planches d'épicéa qui feraient les violons de demain.

— Les marchands de bois nous ruinent, disait Amati. Ils savent que nous avons de plus en plus de commandes et que le bois nous manque pour les satisfaire. Ils en profitent et pratiquent des prix exorbitants.

Antonio avait rompu le silence qui s'était établi après ces constatations désolantes :

— L'attitude des marchands de bois me rappelle que j'ai passé ma jeunesse au milieu des arbres à Guadesco, loin de Crémone. Là, un vieux bonhomme qui fabriquait des mandolines et des violons de ménétriers savait tout de la forêt. Il m'a montré les sapins qui avaient grandi pour la musique et qui étaient prêts à ouvrir leur cœur et leurs veines aux luthiers. Aujourd'hui, j'aimerais partir avec l'ami Guarneri dans le pays des arbres à violons et choisir avec lui ceux dont nous ferons plus tard des instruments aux sonorités extraordinaires. Je sais comment, avec une bonne oreille et un maillet de buis, on peut repérer dans la futaie le sapin qui sonne mieux que ses voisins.

Eh bien, mon père y est allé, et je crois qu'il a rapporté à Crémone les pièces d'épicéa dont il a fait, lorsqu'elles furent sèches, ses violons les plus réussis. C'était en 1728, l'année de ma naissance.

*

Ma mémoire des sons est meilleure que celle des premiers instants de ma vie. J'ai ainsi oublié comment Antonio Stradivarius a fileté ma voûte au bédane et sculpté mon chevalet dans une fine lame de sycomore. Je me revois seulement pendu en compagnie de quelques frères d'atelier sur le fil tendu dans un coin de la *bottega*, en train de sécher mon vernis d'une belle pâte orangée, vive comme un coucher de soleil.

« Coucher de soleil », c'est justement ainsi que m'appela le père, et j'ai porté ce surnom évocateur jusqu'au jour où je suis devenu la propriété du grand virtuose Viotti, qui me donnera son nom en attendant que je sois légué en 1846 à la plus jolie et talentueuse violoniste italienne, Teresa Milanollo.

Mais nous n'en sommes pas là. Auparavant, bien des aventures me sont arrivées.

Premier livret

L'archet de Jean-Sébastien Bach

Opus 1

C'était comme cela chaque fois que mon père devait abandonner un enfant particulièrement réussi : il craignait que ses violons ne tombent en de mauvaises mains, soient maltraités par des violoneux brutaux ou maladroits.

Il a eu de la peine mais toutefois pas d'inquiétude lorsqu'un gentilhomme arrivé du duché d'Anhalt-Kothen est venu me chercher pour me mener dans un petit État de la Saxe où régnait le prince Léopold, passionné d'art, en particulier de musique.

Et moi, je ne savais pas que je ne le reverrais plus jamais. Je fis le trajet dans une belle voiture capitonnée, enveloppé comme un petit enfant de linges doux et protecteurs. Rien n'était alors plus aléatoire qu'un long voyage sur les routes et la petite escorte qui nous entourait aurait eu bien du mal à me défendre si nous avions été attaqués. Heureusement tout se passa à merveille, et le burgrave Otto von Fürttagen, chargé de m'accompagner, fut bien aise de me remettre intact au prince Léopold.

Je le revois me défaisant d'une main tremblante de mes langes et annonçant à son maître :

— Voici, Votre Seigneurie, le violon construit pour vous par le luthier Stradivari. Il m'a chargé de vous dire qu'il figurait sur son registre sous le nom de Coucher de soleil, que c'était sans doute le meilleur instrument qui soit sorti d'une *bottega* de Crémone et qu'il était sûr que vous ne le confieriez qu'à des musiciens dignes de lui.

Je revois aussi le prince éclater de rire en se tournant vers un personnage d'une quarantaine d'années, élégant dans sa veste noire à l'allemande garnie de boutons d'argent et qui ne me quittait pas des yeux :

— Monsieur le maître de chapelle, estimez-vous vos mérites assez grands pour me jouer ce soir l'une de vos sonates sur ce noble violon ?

L'homme, jusque-là grave, sourit, et tous les deux passèrent un long moment à m'admirer, à me soupeser, à s'attarder sur la découpe de mes ouïes, à caresser le vernis de mon ventre. Ils firent s'émouvoir ma caisse fragile en pinçant une corde puis me reposèrent.

Je me souviens aussi que le prince appela son maître de chapelle « monsieur Jean-Sébastien Bach ». Ce nom ne me disait rien. Aurais-je pu imaginer qu'il s'agissait du plus grand compositeur du monde et que je vivrais avec lui une singulière histoire ?

Bach prit l'archet qui se trouvait près d'un monumental pupitre de noyer sculpté aux armes du duché d'Anhalt-Kothen et le promena sur mes cordes offertes à toutes les combinaisons de sons qu'un musicien pouvait imaginer pour m'accorder. Jusque-là, seuls mon père et son fils Omobono ayant testé ma sonorité, je craignais ce premier contact avec la musique qui serait désormais ma raison d'exister. La délicatesse dont fit preuve M. Bach, la douceur de sa paume soutenant mon manche d'érable et le toucher de son archet me parurent de bon augure, encore que les minutes de l'accordage ne soient guère agréables pour un violon. Mais, passé ce mauvais moment, je connus un intense bien-être dès les premières mesures du chant que semblait inventer pour moi M. Bach. Un violon ne s'entend pas jouer mais les vibrations brûlantes qui le traversent lui procurent une sensation que vous, les hommes, ne connaîtrez jamais. Cette fois, elle fut exaltante.

M. Bach improvisa durant quelques minutes une allègre musique avant de me reposer sur la grande table du salon dont l'acajou ciré épousait à merveille le rouge orangé de ma robe.

Le prince, qui avait l'harmonie dans l'âme, remarqua cet heureux mariage et me couvrit alors d'éloges, insistant sur la perfection de mes hanches, la grâce de ma volute, qu'il assimila à un chignon, et les stries régulières de mes éclisses. Il me fit encore bien d'autres compliments puis s'adressa à son maître de chapelle :

— Êtes-vous heureux, monsieur Bach, d'ajouter cette merveille aux instruments de votre musique ? J'ai hâte, pour ma part, de vous entendre ce soir interpréter votre dernière composition.

Bach hocha la tête et, au risque de désappointer son maître, dit qu'il préférait attendre le lendemain, même peut-être quelques jours, avant d'étrenner devant lui le Coucher de soleil de M. Stradivari. Comme le prince s'étonnait de ce contretemps, il expliqua :

— Ce Stradivarius, appelons-le comme cela puisque le grand luthier a latinisé son nom sur ses étiquettes, n'est pas un violon comme les autres. Il a tellement de personnalité, tellement de force que celui qui le joue a besoin d'un certain temps pour se soumettre à lui, s'habituer à la plénitude et à la portée du son, à sa rondeur, à sa puissance. Je demande à Votre Seigneurie de bien vouloir patienter afin qu'elle juge pleinement des qualités de son extraordinaire instrument. Après, je composerai si vous le voulez bien, une *partita* pour violon et viole de gambe que nous jouerons ensemble.

J'appris par ces mots que le prince était un fervent pratiquant de la viole de gambe, un gros et curieux violon dont je connaissais l'existence, ayant vu mon père surveiller la construction d'un de ces instruments joués surtout en France et maintenant de plus en plus supplantés par les violoncelles.

*

Je passai ma première nuit au château dans la salle de musique où j'avais été reçu et où se tenaient les membres de ma nouvelle famille. Aux lueurs de la lune, je remarquai deux beaux clavecins, dont un à deux claviers ainsi que, posés sur la table, trois flûtes, deux hautbois, un cor. Sans oublier quatre violons qui, naturellement, attirèrent mon attention. Je vis tout de suite qu'ils ne venaient pas de notre *bottega*, mais peut-être de celle d'Amati ? Plus loin une viole de gambe et deux violoncelles sommeillaient, posés contre le mur. Tous les instruments nécessaires à un orchestre semblaient réunis. J'avais entendu parler de ces ensembles où les musiciens mêlent leurs musiques. Or, cet amalgame m'intriguait, je me demandais comment j'allais pouvoir y faire entendre ma voix.

*

Durant presque une semaine, je me retrouvai plusieurs heures par jour entre les mains de M. Bach, des mains douces qui ne manquaient ni de force ni d'autorité. Et il en fallait pour suivre les déhanchés, les *spiccatti* ou les *staccatos* de sa musique. Ces mots savants, je les ai appris plus tard. Pour l'heure, je vivais dans un grisant mariage de notes qu'improvisait le maître de chapelle.

Un jour où le prince était venu nous surprendre, Bach lui expliqua :

— Vous voyez, Votre Altesse, je m'habitue aux différents degrés de douceur ou de puissance que votre Coucher de soleil peut exprimer. Ses possibilités sont fantastiques. Votre violon n'a pas son égal dans toute la Saxe et sans doute toute l'Europe ! Maintenant que j'ai sondé ses qualités et maîtrisé ses élans fougueux, je pourrai demain, si Votre Altesse le souhaite, jouer votre merveille dans le *Sixième Concerto brandebourgeois* que je viens de composer. Et bientôt nous interpréterons ensemble la *partita* à laquelle il ne manque que le final. Mais comme je ne peux oublier que je suis aussi votre organiste et votre claveciniste, qu'il ne me sera pas possible de jouer en permanence le divin violon, je compte initier Bassini, le virtuose que vous avez eu la perspicacité d'engager. Il est l'un des meilleurs violonistes de notre temps et je nous entends déjà interpréter quelques suites pour violon et clavecin devant vos invités !

*

Ainsi commença ma vie de cour. J'avais la chance d'appartenir à un jeune seigneur passionné qui savait manier l'archet. Une véritable amitié le liait à son maître de chapelle, lequel appartenait à une famille de musiciens et pratiquait depuis l'enfance le clavecin et le violon. Il avait aussi derrière lui une éclatante carrière d'organiste. À vingt ans, il avait composé sa première cantate alors qu'il était organiste et premier violon solo du duc de Weimar. Maintenant, ses cartons regorgeaient de pièces pour orgue et clavecin, d'œuvres liturgiques, de sonates, de concertos. Je reconnais ma chance d'être tombé en d'aussi bonnes mains. De son côté, Bassini, le virtuose, avait pour moi les attentions dues à un violon de son pays, Stradivarius de surcroît ! J'ai moi-même tout de suite aimé sa manière de jouer et ses manifestations d'enthousiasme à la fin des concerts. Répondant aux applaudissements, il me brandissait en effet et me montrait du bout de son archet, comme si j'étais l'unique responsable de son succès. Encore aujourd'hui, trois siècles après, ma chanterelle pleure d'émotion lorsque je pense à lui. J'ose à peine dire que je l'ai souvent préféré, comme mentor, à M. Jean-Sébastien Bach.

Opus 2

Ce jour-là, il faisait très froid à Kothen. La neige était tombée toute la nuit et les gens du prince avaient eu beaucoup de mal à dégager la route qui menait au château. Sa Majesté Léopold, d'ordinaire homme pondéré, affichait une grande nervosité. Trois fois déjà il avait demandé à M. Bach :

— Pensez-vous qu'il arrivera malgré le temps ?

Le prince en train de répéter avec son maître de chapelle la *partita* pour viole de gambe et clavecin qu'ils devaient jouer le soir n'arrivait pas à se concentrer et Bach cachait à peine son agacement. De la table du salon de musique où je m'ennuyais un peu, je l'entendis dire :

— Sa Majesté jouait hier parfaitement ce passage, aujourd'hui, son archet trébuche à chaque reprise.

Et d'ajouter sur un ton presque irrespectueux :

— Si vous voulez jouer ce soir, il faut vous appliquer. Croyez-moi, il arrivera avant le dîner !

*

« Il », je le savais parce qu'on parlait de cette visite depuis des jours, c'était un religieux, un nommé Vivaldi dont le surnom de « prêtre roux » s'avérait paraît-il célèbre dans toute l'Europe. Depuis plus de vingt ans maître de violon à l'Ospedale della Pietà, un internat de Venise destiné à l'éducation de jeunes filles orphelines, il avait constitué avec ses meilleures élèves un orchestre dont les concerts étaient courus par l'aristocratie vénitienne et les visiteurs étrangers. Il était aussi un compositeur prolifique, avait écrit des dizaines d'opéras et ses sonates étaient interprétées en Europe par la plupart des orchestres de chambre. J'ai entendu M. Bach dire que chez lui, lorsqu'il avait quinze ans, on jouait autant de Corelli, de Couperin et de Vivaldi que de Bach. Et il ne cachait pas qu'il s'inspirait souvent des sonates et concertos du « prêtre roux » pour ses propres œuvres.

C'est dire si la venue de Vivaldi dans les murs du château de Kothen était attendue !

*

Il fallait plus qu'un peu de neige pour arrêter Antonio Vivaldi, habitué à rouler sur les routes les plus détestables afin de faire écouter sa musique aux Grands d'Europe. De fait, la vigie postée sur les remparts annonça l'arrivée de son carrosse.

Bach, Bassini et la quinzaine de musiciens du prince se précipitèrent pour accueillir le Vénitien devant l'entrée du château. Mon maître raconta au prince Léopold leur étonnement en voyant sortir de la voiture, au lieu d'un abbé en soutane, un homme vêtu d'un habit de voyage et deux femmes jeunes et jolies qui poussèrent des petits cris en posant leurs fins souliers dans la neige. On sut plus tard qu'il s'agissait d'Anna Giraud, devenue *prima donna* de ses spectacles, et de sa sœur Paola. Il avait rencontré ces artistes à Vérone et les avait ramenées à Venise où elles vivaient sous son toit. « En tout bien tout honneur », affirmait-il.

L'abbé fut présenté au prince dans le salon de musique, ce qui me permit de découvrir un homme assez grand au visage ouvert barré d'un long nez busqué. Il était élégant dans son pourpoint ajusté sur une chemise dont le col rigide pouvait être pris pour un petit collet d'ecclésiastique. Auparavant, ses deux accompagnatrices avaient apporté et placé près de moi, sur la table, deux violons qui ne me parurent pas de grande naissance et deux instruments à cordes, en forme de courge, qui m'étaient inconnus. Je sus de quoi il s'agissait quand le prince demanda à l'abbé pourquoi il avait apporté deux mandolines, des instruments n'ayant jamais eu leur place dans un orchestre de chambre. J'entends encore Vivaldi répondre :

— Ils figurent pourtant dans les trois mouvements du *Concerto pour mandoline et cordes en ut majeur* que je compte vous faire entendre ce soir. Il s'agit, je l'admets, d'une nouveauté mais j'aime expérimenter des combinaisons sonores originales.

C'est sûrement le seul concerto qui fut jamais destiné à la mandoline. Je ne l'ai en tout cas jamais vu figurer dans les innombrables concerts auxquels j'ai participé.

*

Dès la fin de l'après-midi, les laquais et les femmes de chambre s'affairèrent à préparer la salle d'honneur du château, celle, immense, où devait avoir lieu le fameux concert. Vous pensez ! Vivaldi et Bach ! Il y avait de quoi faire frémir d'envie tous les amateurs de musique de la principauté. Mais les invités avaient été rigoureusement choisis. Ne devaient assister à la fête que les nobles et la fine fleur de l'administration de Kothen-Anhalt.

Vers sept heures, j'entendis les premiers carrosses arriver. Vivaldi avait revêtu une longue jaquette de velours italien et portait une perruque blanche soigneusement peignée. Y avait-il des cheveux roux dessous ? Accompagné de ses deux demoiselles habillées de simples robes de soie noire pour être à l'aise lorsqu'elles gratteraient la mandoline, il était venu dans la chambre de musique parler avec mon maître. En avaient-ils des choses à se dire, ces deux-là ! De la même génération, ils avaient composé chacun, en dehors des concertos et des sonates, plus de cent œuvres instrumentales, des cartons de musique sacrée pour Bach, d'opéras pour Vivaldi.

J'attirai vite l'attention du Vénitien.

— Que voici, monsieur Bach, un précieux violon ! Me tromperai-je si je vous dis qu'il a été construit à Crémone et que son étiquette porte le nom d'Amati ou de Stradivari ?

Bach fut heureux de me présenter à son illustre confrère, de vanter mes qualités et de dire le plaisir extrême qu'il éprouvait à me jouer. Il ajouta qu'hélas, je ne lui appartenais pas, que j'étais la propriété du prince, et qu'il aurait du mal à m'abandonner lorsqu'il partirait de Kothen. Cette phrase me perturba : je n'avais en effet pas pensé qu'un jour je passerais en d'autres mains que celles de M. Bach ou de Bassini. Cette perspective me navra fort. Mais n'est-ce pas la destinée des grands violons que de mener une existence errante dans le monde embrouillé de la musique ?

Tandis que les plus grands personnages de la principauté et des états avoisinants montaient l'escalier d'honneur, j'échangeai dans notre langage de violons – qui n'a rien à voir avec celui des humains – quelques propos aimables avec les instruments du prêtre-musicien. Discret, je ne m'étendis pas sur mon origine, mais curieux, demandai à mes voisins où ils avaient été conçus. Contrairement à ce que j'avais cru, ils étaient de bonne race, celle de Giovanni Paulo Maggini, à Brescia. Je remarquai le double filet qui soulignait les contours de la caisse et produisait le meilleur effet. Ils me confièrent en retour qu'Antonio Vivaldi n'était pas un maître facile. À les entendre, il s'enflammait tellement en jouant certains morceaux qu'il pouvait devenir brutal et que son archet attaquait alors si violemment les cordes que celles-ci se rompaient parfois. Or, nous savons que casser une corde au cours d'une interprétation représente, pour un violon, une sorte de déshonneur. J'avais connu pareille mésaventure lors du concert donné à l'occasion de l'anniversaire de la princesse Mathilde et en avais voulu quelques jours à Bassini pour cette maladresse. Cette évocation me fit penser alors à Mathilde, l'épouse du prince. Elle recevait avec grâce ses invités dans une robe somptueuse ornée de pierres rares, elle jouait un peu du violon et avait demandé un jour de m'essayer. Il lui aurait fallu du temps pour s'habituer et maîtriser ma force mais elle avait préféré me reposer après quelques coups d'archet. Dommage... Son long cou était doux et son parfum formait avec mes fragrances sylvestres un heureux mélange.

Je crois que je m'égare. Revenons donc au programme du concert. Bach et Vivaldi l'avaient composé et proposé au prince qui l'avait accepté avec élégance :

— Comment oserais-je, simple amateur, dédire le choix des deux immenses musiciens qui me font l'honneur de jouer ce soir dans ma maison ?

*

En tant d'années, j'ai mélangé et oublié la plupart des lieux et les œuvres de mes prestations mais je me souviendrai toujours de ce fameux concert qui s'ouvrit par les

Quattro Stagione qui, depuis des années, remportaient un immense succès en Europe. Bach et Vivaldi emmenèrent dans les envols de leur archet l'orchestre du prince vers les cimes. Pour ma part, j'ai fini par aimer participer à ces ensembles où je m'applique à faire ressortir ma différence.

Mon maître prit ensuite place sur l'estrade pour jouer l'une de ses suites pour violoncelle. Le grand Bach était inimitable dans cet exercice, faisait littéralement pleurer son *cello*. Personnellement, je n'avais pas de raison d'être agréable à ce grand frère qui me regardait de toute sa hauteur. Son origine était plus modeste que la mienne mais je devais reconnaître qu'il sonnait miraculeusement entre les jambes de Bach. Après qu'il eut une fois de plus soulevé l'enthousiasme de l'auditoire, celui-ci appela Vivaldi et lui proposa de jouer avec Bassini l'une des douze sonates à trois qui triomphaient à l'Ospedale della Pietà. Puis les deux maîtres se retrouvèrent pour clore la soirée avec une sonate de Bach qui s'installa au clavecin. Je n'étais pas de la partie car Vivaldi avait décliné l'offre de me jouer. « Il faudrait être bien prétentieux, avait-il dit, pour oser jouer en concert un Stradivarius inconnu ! » Cette prudence me toucha. Elle me permit aussi de prendre conscience de la peur que j'inspirais aux plus grands virtuoses. Cela n'était pas pour me déplaire. J'avais même envie de savoir si tous mes frères de l'illustre *bottega* de Crémone suscitaient la même crainte.

Opus 3

Vivaldi repartit le lendemain avec ses deux jeunettes dans un claquement de fouet magistral. Le château put s'assoupir dans ses vieux murs et la salle de musique retrouver la sérénité qui sied aux bons auxiliaires de l'harmonie.

Aimable, je dis à mon collègue le violoncelle que ses accents profonds, souvent déchirants, m'avaient touché. Le grand parut content et en attribua le mérite à Bach : « Du compositeur ou de l'interprète, je ne sais qui est le plus parfait. » Quant à lui, il était comme moi un nouvel arrivé dans la collection. Son état civil portait le nom de Johannes Schorn, un luthier de Salzbourg qui avait créé d'excellents violons et violoncelles. Mon collègue avait aussi appartenu durant une vingtaine d'années au virtuose italien Pietro Ghignone avant de devenir propriété du prince.

M. Bach s'en alla peu après pour un court voyage à Dresde où la musique était devenue reine sous l'impulsion d'Auguste, le roi de Saxe. La musique sacrée qui avait constitué l'essentiel de son activité à Weimar se bornait à Kothen, cour calviniste, à quelques psaumes très simples. L'orgue, son instrument de prédilection depuis sa jeunesse, lui manquait. Aussi la venue à Dresde du fameux

27

organiste et compositeur français Louis Marchand l'attira comme un aimant. Il partit donc écouter son confrère qui obtenait un grand succès dans les églises où il se produisait.

La présence de Bach ne pouvant rester ignorée, un seigneur de l'entourage du roi eut l'idée d'organiser un concours entre les deux musiciens. Ces luttes régulières entre interprètes lors de concerts prisés étaient courantes à l'époque. La suite de l'aventure, Jean-Sébastien Bach la raconta au prince après son retour. De la trompette aux violons en passant par la viole de gambe, tous les frères de la musique l'écoutèrent avec émerveillement :

— L'organisation du duel musical que j'avais hâte de disputer ne demanda que quelques jours. La cathédrale était pleine lorsque je me suis présenté à l'heure et au jour fixés. Debout devant le clavier, j'attendis ainsi durant plus de dix minutes mais, faute d'adversaire, le combat n'eut pas lieu. « Monsieur Bach, dit le baron qui avait arrangé la rencontre, je ne puis que constater l'absence de monsieur Marchand. La déception est grande mais vous pouvez la transformer en enthousiasme. Jouez s'il vous plaît quelques préludes et fugues de votre répertoire et je vous promets un triomphe. » À ce moment, un messager arriva et annonça que le Français avait quitté Dresde en secret le matin même. « La confrontation lui a fait peur, il a préféré vous abandonner la victoire », ricana le baron. Alors j'ai joué et j'ai obtenu l'un des plus grands succès de ma vie. Je ne compose plus de musique sacrée dans notre cour calviniste et cela me manque. C'est dommage car je ne peux rêver de meilleur protecteur que le prince qui me traite en ami et me laisse mener sa musique à ma guise.

Ainsi parlait encore Jean-Sébastien Bach à son compagnon Pietro Bassini dans la voiture qui les menait à Carlsbad, en Bohême, où Léopold d'Anhalt-Kothen faisait sa cure annuelle. Le prince, qui ne pouvait se passer de ses musiciens, les avait fait appeler et M. Bach avait laissé sa femme Maria Barbara et ses quatre enfants dans leur belle maison proche du palais.

J'appris seulement quelques jours plus tard, après le retour de Carlsbad, le malheur qui avait frappé mon cher maître durant son absence. Il avait quitté quelques semaines auparavant sa femme en parfaite santé mais appris en rentrant qu'elle était morte subitement et même déjà inhumée. Je ne connaissais pas beaucoup Mme Maria Barbara dont les apparitions au palais étaient rares mais je fus affligé par cette nouvelle, comme tous les compagnons que j'avais retrouvés bien alignés sur le tapis de velours rouge qui recouvrait la table. Le maître pourtant ne nous délaissa pas. Au contraire, il vint vers nous et prononça quelques mots à peine audibles. Je crus entendre : « instruments de Dieu ». Ensuite, il nous entraîna avec Bassini et le violoncelliste Drucker dans une fulgurante sonate en trio qui reste pour moi le meilleur souvenir que je garde de lui.

*

L'heure de nous quitter n'était cependant pas encore venue.

Comme à son habitude, le maître me contemplait un moment avant de me jouer, me prenait, caressait de sa paume mon manche aux ondes crémeuses et me faisait vibrer comme je ne peux hélas vous le faire ressentir. Durant cette période de chagrin, M. Bach composa beaucoup et je l'aidai à finaliser ses nouvelles œuvres. Je n'ai pas oublié l'*Adagio ma non troppo* d'un fameux trio à l'italienne joué avec Bassini.

J'avais pourtant l'impression que cette situation n'allait pas durer, que mon maître ne resterait pas longtemps seul avec quatre enfants à élever dans une maison où il ne résidait pas souvent. Un événement survint qui confirma mon intuition. Un jour, Bach amena avec lui une jeune femme qu'il présenta à Bassini comme étant une chanteuse qu'il se proposait de faire entendre durant un prochain concert. La façon dont il évoqua sa voix divine de soprano et, surtout, la manière dont il la regardait me parurent significatives.

Il faut dire qu'elle était plaisante, la nouvelle chanteuse. Ses mains – je m'intéresse toujours aux mains des gens que je rencontre – me semblèrent douces et fines. Je me dis que j'apprécierais bien qu'elles effleurent un jour ma touche d'ébène avant de me serrer sous son menton. Elle me sembla encore plus séduisante quand elle s'approcha de la table, me fixa de son regard et s'extasia devant la pureté de ma silhouette. M. Bach lui expliqua qui j'étais. Et à son discours, je frémis d'aise. Ce sont des moments comme celui-là qui vous font aimer votre vie de violon !

*

Il me suffit d'écouter les musiciens de l'orchestre parler entre eux pour apprendre qu'Anna Magdalena Wilcke, fille d'un trompettiste, avait été élevée dans le culte de la musique et venait d'avoir vingt ans, soit seize de moins que Jean-Sébastien et seulement neuf de plus que l'aînée de ses quatre enfants survivants.

Le mariage eut lieu dix-sept mois après la mort de Maria Barbara et, étant donné les circonstances, ne donna pas lieu à des réjouissances. Je fus néanmoins présent à l'église où M. Bach avait demandé comme seul accompagnement un duo d'orgue et de violon. Bassini joua très bien mais ce fut triste. J'ai songé, une fois rentré au château, qu'on venait de célébrer à la fois un mariage et le souvenir d'une morte.

*

M. Bach avait fait le bon choix. Anna Magdalena se révéla épouse aimante et mère attentive. Elle s'occupa des enfants de Barbara comme des siens qui, nombreux – treize dont seulement six atteindront leur vingtième année – emplissaient la maison de jeux et de musique.

Plusieurs fois j'eus la chance que mon maître m'emmène chez lui et me permette de découvrir l'ambiance de sa vie intime. Les enfants étaient nimbés de musique dès leur plus jeune âge, étudiaient le clavecin et le violon, chantaient et jouaient les pièces écrites par Bach spécialement pour leur éducation. De fait, ils me regardaient avec curiosité, demandant à leur père ce qui me différenciait des autres violons.

Des violons, il y en avait partout dans la maison, de toutes les tailles. Les instruments d'étude, quart, demi ou trois quarts, ne sont jamais de bons violons mais, s'ils ne sonnaient pas très bien, ils sonnaient juste. Papa Bach ne tolérait pas chez lui un instrument désaccordé ! La rigueur de son enseignement ne l'empêchait pas d'être un père drôle, chaleureux et bon vivant. N'étant pas non plus infatué de sa propre musique, la demeure résonnait autant des notes de Corelli, de Couperin ou de Vivaldi que des fugues du maître de maison.

*

Les choses auraient pu durer longtemps comme cela pour mon grand plaisir, quand le décès subit de la princesse Mathilde et le remariage du prince avec une princesse d'Anhalt-Bernburg bouleversa la vie du palais. La dame – quelle triste idée ! – n'aimant pas la musique eut bientôt de l'aversion pour un art qui accaparait le temps de son mari. Comme celui-ci tenait à sa femme, peu à peu, il délaissa notre chambre. Sa viole de gambe resta muette sur la table, si bien que la salle perdit sa grâce et même sa raison d'être, les concerts s'avérant de plus en plus rares au château de Kothen. Bach continuait certes à composer et à jouer mais je le sentais dorénavant plus attiré par l'orgue de l'église voisine et le clavecin. En vérité, cela me peinait et je ne fus pas étonné le jour où je surpris dans une conversation avec Pietro Bassini qu'il cherchait un emploi susceptible de lui offrir un statut social plus valorisant que celui de maître de musique d'une minuscule principauté.

C'est ainsi que, peu après, Jean-Sébastien Bach, seul dans le salon qui avait connu tant de rayonnantes créations, joua sur mes cordes une dernière sonate, puis me regarda longuement avant de me reposer sur le tapis rouge, à côté de mes confrères. Le lendemain, deux voitures du château l'emmenèrent avec sa famille jusqu'à Leipzig où une place de *cantor* lui était proposée à l'école Saint-Thomas. À partir de ce jour funeste, je n'aurai plus de nouvelles de lui... sauf par ses compositions sublimes que d'autres violonistes me firent jouer au cours des ans dans les salles de concert du monde entier.

Opus 4

Ma vie sans Jean-Sébastien Bach fut d'abord empreinte de tristesse. Le haut du cou toujours bien rasé où il me nichait, ses doigts agiles qui glissaient sur mes quatre cordes et le geste balancé qui faisait s'envoler son archet me manquaient.

Heureusement, Bassini, dont j'aimais la fantaisie, avait pris sa succession à la tête de l'orchestre ducal et je le sentis content de pouvoir disposer de moi à sa guise.

Il avait essayé d'apprivoiser la détestable duchesse Gertrude à la musique mais n'avait reçu que des rebuffades. Je me souviens d'un jour où il m'avait montré à Sa Suffisance en disant : « C'est un instrument exceptionnel dû au grand luthier italien Stradivari », et de sa réponse : « Oh, vous savez, tous les violons pour moi sont d'insupportables crincrins. »

J'aurais aimé qu'à ce moment ma chanterelle se casse et lui saute au visage !

*

Et puis, le duc, comme sa première femme, mourut de la petite vérole. Sa veuve, évidemment, ne se soucia pas de nous. Bassini rentra dans sa bonne ville de Venise et je pense avoir alors été abandonné dans quelque endroit sombre, seul, enveloppé dans un vieux morceau de couverture.

Le cachot, ce que vous appelez la prison, constitue pour un violon la pire des infortunes. Ce peut être un placard, un grenier, un débarras. Dans ces lieux-là, il est atroce de sentir que vos cordes vous abandonnent, se détendent l'une après l'autre, se recroquevillent et laissent le chevalet sans support. Personne bien sûr ne vous joue. Et c'est cela le pire. Un violon a beau être le meilleur, l'œuvre du plus célèbre luthier, posséder en dehors d'une forme parfaite un son inégalé, s'il n'est pas joué durant un long moment ses fibres d'épicéa se durcissent, son manche d'érable perd sa brillance, ses éclisses souffrent. Il se peut même que l'instrument perde son âme, ce petit tourillon de pin placé entre la table et le fond.

Par bonheur, le dieu des violons a veillé à ce que nous ne souffrions pas longtemps. Quand, abandonné, notre corps est resté, après de longues souffrances, en état de veille, il finit par tout oublier et tomber en léthargie.

C'est un peu l'histoire de la Belle au Bois dormant que Mme Bach racontait à son plus jeune fils. Et moi-même je ne saurai jamais combien de temps je suis ainsi resté inerte, avant de pouvoir reprendre ma place dans le grand concert des violons.

Deuxième livret

À la cour de France

Opus 1

Encore que bien des points restent obscurs, j'ai pu reconstituer plus tard, au hasard des conversations de musiciens bavards, les circonstances qui m'ont permis d'échapper à cette triste situation. Le prince Léopold mort, le personnel de son héritier, le duc Auguste de Saxe, retrouva un jour dans un coffre, entassés sans grande précaution, les instruments de l'orchestre du château. Malgré mon lamentable état, le maître de musique reconnut ma noblesse et me confia à un luthier de Dresde. Celui-ci me rendit un visage avenant, me recorda, me bichonna et assura, à l'étiquette collée sur le fond qu'on apercevait à travers les ouïes, que j'étais l'œuvre d'Antonio Stradivari, le plus grand luthier italien.

— Votre Altesse Sérénissime, expliqua le maître de musique à son seigneur, possède un violon exceptionnel.

Ce qui ne lui fit ni chaud ni froid, à vrai dire. Mon sort, il ne l'intéressait pas.

*

J'aurais pu rester en Saxe très longtemps dans cette posture inconfortable tant le duc n'avait guère de goût pour le violon. Mais un jour, comme il cherchait des cadeaux à faire à son cousin le roi de France, Louis XV, qui l'avait reçu à Versailles, il pensa à moi. Son idée ? M'offrir au Dauphin, ce dernier poursuivant l'attachement royal au violon depuis que François Ier nous avait introduits dans sa Musique.

Voilà comment une nouvelle aventure de ma vie débuta ! Voilà pourquoi je dus quitter les lieux de mes premiers ans pour un pays que je ne connaissais pas. Voilà comment, transporté dans le carrosse d'un baron saxon, je me suis retrouvé à la cour de France entre les mains de Jean-Marie Leclair.

*

Enflammé à la perspective de faire vibrer un tel Coucher de soleil, le grand virtuose de la cour entreprit, avec son archet audacieux et son toucher exceptionnel, la tâche difficile de me réveiller et de laisser renaître la sonorité qui m'avait fait triompher à Konen avec Jean-Sébastien Bach.

Mais, à l'image de tous ceux qui portent mon nom, je ne suis pas du genre à me jeter dans les bras de n'importe qui. « Il faut nous mériter, nous, les Stradivarius », profère toujours mon frère, connu aujourd'hui sous le nom de Dancla et qui fut longtemps joué par le grand violoniste Nathan Milstein. « Il convient, sous peine de gommer nos extraordinaires qualités, d'établir avec nous des relations sensibles et loyales. »

Je dois dire que M. Leclair a tout de suite compris qu'il fallait me traiter avec tact pour me mettre de son côté et me transformer en allié. Il est le prince charmant qui m'a réveillé de mon long sommeil et je lui en porte une grande reconnaissance. Surtout, en m'adoptant avec la permission du surintendant de la musique, il m'a permis de ne pas être mis à la disposition des « vingt-quatre violons du roi », de ne pas être placé entre des mains malhabiles dans les bals et les réjouissances ordinaires. Je ne voudrais pourtant pas être injuste. Les « vingt-quatre » étaient pour la plupart de bons violonistes mais ils avaient acheté leur charte, ce qui ne constituait assurément pas une garantie de talent.

Je savais, moi, qu'avec M. Leclair, ma qualité ne serait pas galvaudée.

*

Avant de m'utiliser en concert, il m'essaya d'ailleurs dans des sonates dont il était l'auteur et qui me plurent. Il étudia toutes mes possibilités, mon amplitude sonore, l'approche qu'il convenait d'observer avec certaines œuvres. Et, surtout, il me parla ! Bach l'avait fait quelquefois mais, le plus souvent, il ne s'adressait pas directement à moi. Jean-Marie Leclair, au contraire, me confiait ses impressions :

— Que tu es rétif, mon cher violon ! Je sais que tu es un trésor mais comme j'ai du mal à forcer ta serrure !

Ces mots chaleureux, affectueux, complices, m'engageaient naturellement à lui faciliter la tâche. J'ai aidé à mon tour Leclair de mon mieux afin qu'il devienne vite le compagnon parfait que j'espérais.

Opus 2

J'ai craqué de toutes mes fibres le jour où il m'a dit :

— Nous inaugurons ce soir, toi et moi, le salon d'Hercule, la nouvelle et splendide salle de bal et de spectacles que le roi a fait construire à l'emplacement de l'ancienne chapelle, au premier étage. Avant le bal en masques, il y aura un concert dont la reine a désigné elle-même les musiciens. Je jouerai un quatuor avec mes amis François Francœur, Guillemain et Mondonville à la basse continue mais avant, en solo, j'interpréterai la sonate de ma composition répétée avec toi lorsque nous faisions connaissance. Après, on livrera le salon aux violons du bal. Ils seront, dit-on, plus de deux cents dont, bien entendu, la « bande des vingt-quatre ». Rassure-toi : nous ne nous commettrons pas dans ce vacarme. Quand Louis XV, masqué en chauve-souris, s'amusera à demander un peu partout : « Où est le roi ? », comme si personne ne l'avait reconnu, tu auras retrouvé l'abri ouaté de ton coffret d'ébène. Et j'aurai, moi, rejoint ma chère Louise-Catherine dans notre maison de la ville.

Leclair s'arrêta un instant pour reprendre sa respiration puis reprit :

— Tu vas découvrir les fastes de Versailles. Le château de Kothen te paraîtra bien modeste à côté du palais construit par Louis le Grand, et sa salle des fêtes sombre et minuscule comparée au fabuleux salon d'Hercule éclatant sous les lustres de cristal et la lumière de cent torchères d'or ! Je nous vois déjà sur l'estrade. Dans cette divine clarté, une tache magique arrêtera le regard des dames et des courtisans installés sur les gradins : le vernis rouge orangé de la robe dont t'a habillé le génial Stradivarius, qui éclipsera la richesse des plus magnifiques costumes.

Je trouvai un brin pompeux le discours de M. Leclair pour annoncer qu'il allait me faire jouer sa sonate, mais après tout, ce n'est pas moi qui allais lui reprocher de me couvrir de louanges ! Je savais qu'il me ferait sonner fort et juste devant Sa Majesté et voilà tout ce qui m'importait.

*

Quand mon nouveau maître me glissa sous son menton et leva son bras droit, le roi et la reine donnèrent le signal des applaudissements mais ne purent faire cesser complètement le brouhaha des conversations et le grincement des centaines de chaises sur le parquet. Ce bruit étant insupportable, il fallut que la reine lance un regard sévère aux fauteurs de trouble pour que le silence l'emporte et que Leclair puisse enfin m'entraîner dans le tourbillon musical de la cour de France.

Je l'aidai de ma plus belle façon. J'osai même, à un moment, gommer par une fine vibration une petite erreur de touche de mon maître, qui ne s'aperçut de rien. Au final, après l'apothéose, le roi et la reine ne furent pas les derniers à applaudir et j'appréciai avec fierté le regard dont me gratifia mon nouveau maître en saluant l'assistance. J'y distinguai en effet comme une furtive et tacite connivence.

C'est pourtant le quatuor qui m'intéressa le plus. Curieux de nature, j'avais envie de connaître ces Francœur, Guillemain et Mondonville qui semblaient, avec Leclair, être les meilleurs violonistes et compositeurs du royaume. Mon maître en parlait toujours favorablement mais je sentais qu'une certaine rivalité existait entre ces amis. Comment allaient-ils conjuguer leurs talents au profit du morceau de Corelli qu'ils devaient interpréter ? J'avais surtout hâte de découvrir leurs instruments. Des frères Stradivarius ? C'était peu probable. Des cousins de Crémone, Guarneri ou Amati ?

Je vis tout de suite, quand leurs maîtres s'installèrent, que les deux violons et le violoncelle n'étaient pas de chez nous. Ce qui ne les empêchait pas d'être bien venus et de sonner juste, comme je m'en aperçus dès l'envoi du premier mouvement.

Je vis aussi que les trois virtuoses me regardaient autant que leur propre instrument, et observaient la façon dont mon maître me sollicitait dans les passages difficiles. Ils enviaient Leclair, c'était évident, d'avoir mis la main sur moi, un Stradivarius dont ils n'avaient encore jamais rencontré une création mais dont le renom était déjà grand.

*

Le concert fini, après avoir été félicités par la reine, le roi ayant, lui, déjà gagné ses appartements afin de se préparer pour le bal, les quatre artistes se retrouvèrent dans un petit salon où l'on servait une collation, pratique que nous trouvons, nous violons, plutôt ridicule. Dieu merci, nous n'ingurgitons pas trois fois par jour, comme eux, un tas de mets peu ragoûtants. Vous imaginez un Stradivarius dont on bourrerait les ouïes de potages, de rôtis, de crèmes et autres horreurs ? Nous sommes tributaires des humains, il faut en convenir, mais sur le plan de la délicatesse, nous avons beaucoup à leur apprendre.

Bref, en se gavant de confiseries, les quatre artistes de la couronne n'avaient qu'un sujet de conversation : moi. Chacun m'empoigna, voulut faire vibrer mes cordes, caresser ma caisse un peu rebondie comme un ventre de femme et admirer ma couleur. Mon père aurait ri en les écoutant, lui qui assurait que les fameux secrets de son vernis relevaient de la légende puisqu'il en achetait les composants comme tous les luthiers de Crémone chez le droguiste Arcangélis. À voir pourtant la minutie qu'il apportait à cette finition, au temps qu'il passait à mélanger le curcuma, le santal rouge et le sang-dragon, on a peine à croire que le son d'un Stradivarius n'est en rien tributaire de sa peau miraculeuse.

On s'occupa tant de ma personne que je n'eus pas beaucoup de temps pour bavarder avec les autres instruments, en particulier le violoncelle qui me paraissait intéressant, mais on aura d'autres occasions de se rencontrer. J'appris tout de même que mes collègues violons venaient de Mirecourt, une petite ville qui était en quelque sorte le Crémone de la France et qui comptait d'excellents luthiers.

*

J'allais d'ailleurs être amené à côtoyer de nombreux Mirecourt dans les différents concerts où mon maître me jouait. Car Jean-Marie Leclair m'emmenait partout avec lui, dans ma *cassetina* qu'il ne quittait pas des yeux. Je ne savais pas encore que durant toute ma vie, je serais ainsi escorté, surveillé, gardé comme le Saint-Sacrement et que ce serait à la fois aussi flatteur que pénible.

N'importe, je goûtais ces déplacements qui me faisaient connaître tous les endroits de Versailles où l'on faisait de la musique. Et Dieu sait s'ils étaient nombreux ! De la chambre de la reine aux appartements du Dauphin en passant par le petit théâtre du duc de Berry et la galerie de Mignard fusaient des airs de Lully, des accords de Mondonville, des fugues de Bach, je suivais la musique et mon maître. Cela me changeait de Kothen où je restais confiné des semaines entières. Une autre vie s'annonçait.

Opus 3

Louis-Ferdinand, le Dauphin, était à la cour le plus intéressé et le plus doué pour la musique. À douze ans, chantant en soliste, s'accompagnant au clavecin, il eut envie d'apprendre à jouer du violon. Il aurait pu envoyer en avertir M. Leclair mais c'est Mondonville qui fut appelé pour lui donner ses premières leçons.

Rien n'était simple dans le petit monde du violon. Si mon maître préféra ne pas discuter ce choix, Guignon, qui enseignait déjà Mme Adélaïde, argua de son titre de premier violon de la Chambre et de la Chapelle pour revendiquer ses droits. Monsieur le Dauphin, qui portait la gentillesse sur son visage, ne voulant faire de peine à personne, fut bien embarrassé par cette exigence. Et c'est finalement Guignon qui l'avait emporté.

*

Un peu plus tard, Son Altesse, qui avait entendu parler de ma personne, demanda à me voir. M. Leclair me conduisit donc chez le Dauphin. Louis-Ferdinand, émerveillé, me soupesa, me regarda sous toutes les jointures, admira à l'instar de tant d'autres mon vernis et déclara sans hésiter qu'il voulait m'essayer et probablement me garder. À ces mots, je vis mon maître tressaillir et moi-même me sentis mal à l'aise. Il était évident que si le Dauphin me désirait, je serais contraint de quitter les mains expertes de Leclair pour gémir sous l'archet d'un débutant. De noble lignée, certes, mais débutant quand même. Voilà qui me rappelait un détail que j'avais un peu oublié : j'étais la propriété de la famille royale !

Alors que le Dauphin s'était éloigné un instant, M. Leclair me leva jusqu'à lui, m'observa et murmura :

— N'aie pas peur, mon ami. Comme la plupart de tes frères de Crémone, tu as tellement de caractère qu'un novice ne peut apprendre à jouer avec toi. Le Dauphin n'est pas près de tirer une mélodie audible de tes cordes rebelles. Il se rendra compte dès le premier coup d'archet que tu n'es pas fait pour lui !

Les choses se passèrent comme l'avait prévu Leclair. Le Dauphin s'essaya sur un motif facile, pesta, s'acharna un moment et dut reconnaître son échec. Je n'avais rien fait pour lui compliquer la partie, au contraire, mais que voulez-vous : un Stradivarius a son caractère. Pas commode peut-être, mais tellement agréable quand on sait le flatter !

Opus 4

Un soir, je vis à l'air soucieux de mon maître que quelque chose n'allait pas. En jouant, il avait remarqué que je sonnais *dentro*. « En dedans », précisa-t-il.

— Aurais-tu, dit-il, du vague à l'âme ? Je vais t'emmener demain chez Guersan. Il sait mieux soigner les violons que les médecins leurs malades !

J'avais senti que j'étais comme enroué et que mon Leclair avait du mal à me faire jouer d'une façon convenable. Mieux valait prévenir que guérir. Rencontrer l'un de ces magiciens des violons me plut assez, moi qui n'avais pas vu de luthier depuis ma claustration allemande.

*

Je fus surpris de me retrouver, tant d'années plus tard, dans un cadre qui me rappelait étrangement la *bottega* des Stradivari. Les calibres accrochés aux murs, les violons, les altos pendus qui exhalaient en séchant l'odeur suave du vernis, les établis chargés d'outils, les mêmes qu'en Italie, compas d'épaisseur, gouges, racloirs, rabots... tous ces détails me bouleversèrent. Je me revis d'un coup, naissant entre les mains de mon père Antonio.

Je crus d'ailleurs un instant que c'était lui, l'homme, grand, mince, sanglé dans son tablier de peau blanche, qui reposait un ciseau et se retournait pour saluer M. Leclair. Mais il était plus jeune que mon père lorsque je l'avais connu. À quarante ans il avait déjà accédé, paraît-il, à la dignité de juré de la corporation.

— Que puis-je faire pour vous, maître ? dit-il avec le sourire des gens heureux. Votre violon vous joue des tours ? C'est encore le napolitain jaune que vous a repassé Duval quand il a quitté l'Opéra ?

— Non. Je joue depuis quelques mois un Stradivarius qui a été offert à Sa Majesté et que j'ai eu la chance de me voir confier. Il me procure les plus grandes joies dont peut rêver un violoniste. Mais...

— Un Stradivarius ! Un Stradivarius ! s'exclama soudain Guersan, bouleversé.

Je crus qu'il allait tomber en pâmoison quand Leclair enleva le linge de soie qui me recouvrait.

— Figurez-vous, dit-il, que je n'ai jamais eu entre les mains un instrument du grand maître italien ! Celui-ci est d'ailleurs sans doute le premier qui existe en France. Pour moi, c'est un grand jour. Mais de quels maux peut souffrir un si magnifique violon ?

— Il sonne *dentro* et j'ai dû renoncer à le jouer hier chez la reine. Essayez-le, je vous en prie, et dites-moi ce qui ne va pas.

*

Avec les ménagements dus à un souverain malade, M. Guersan me glissa sous son menton, prit un archet et joua sans appuyer quelques notes de ce que je crus être un air de Rameau. Les luthiers, c'est connu, ne sont pas des virtuoses. Ils sont même de médiocres interprètes mais gardent tous en mémoire un morceau qu'ils connaissent pour l'avoir joué et rejoué, auquel ils n'accordent d'autre vertu que celle d'aider à déceler immédiatement les qualités et défauts d'un violon, de juger son timbre comme sa sonorité.

Guersan y alla donc de sa ritournelle des *Indes galantes* qui grinça comme un vieux moulin. Tout de suite, il me reposa et livra son diagnostic :

— Je suis à peu près certain que la barre d'harmonie de votre Stradivarius est fendue. Cette languette bien ordinaire qui soutient la table sous le chevalet cède parfois. Confiez-moi cet instrument d'exception. Je devrai le détabler, l'ouvrir pour changer la table d'harmonie.

Leclair pâlit :

— Le... le violon court-il un risque ?

— Certes, l'opération fait frémir les propriétaires, mais exécutée par un homme de l'art, elle s'avère sans danger. Je vous conseille de revenir demain pour reprendre tranquillement votre Stradivarius. Il aura retrouvé sa voix.

Leclair s'essuya le front et répondit sans attendre :

— Bien qu'il ne m'appartienne pas en titre, je tiens à ce violon qui a pris dans ma vie une importance sans doute excessive mais qui m'engage à rester. Je ne puis m'en aller ainsi. Excusez mon audace, mais je voudrais assister à ce démontage.

En entendant cette requête, j'eus un frisson de fierté. Ses sentiments me touchaient. En outre, je n'éprouvais aucune peur : nous avons, nous violons, le privilège d'être insensibles à la douleur et ce Guersan me donnait confiance. Rien ne pouvait m'arriver. Un homme qui peut fabriquer un violon est évidemment capable de le démonter. Et incapable de le faire souffrir.

Invité à s'asseoir sur un tabouret, Leclair s'installa avant de se murer dans un silence inquiet. Muet, il regarda le luthier choisir une lame fine solidement emmanchée, me caler entre ses genoux et glisser doucement le canif entre la table et les éclisses, juste au-dessous de ma taille. Un craquement sec que mon maître dut ressentir comme une décharge d'orage éclata alors dans l'atelier.

— Le bruit est désagréable, mais j'avais prévenu, sourit Guersan. Rassurez-vous, c'est la colle séchée qui explose, pas le bois.

Par des pesées successives, le luthier continua de détacher progressivement la table, renouvelant à chaque fois le craquement qui faisait grimacer Leclair. Enfin, un bruit strident, ressemblant à celui d'un verre de cristal frappé avec un couteau, termina le démantèlement en arpège. La table venait de se détacher des éclisses. Alors mon intérieur apparut dans sa déroutante simplicité avec ses coins de sapin, ses tasseaux de saule bruts de scie, son âme, dérisoire cheville d'épicéa, et la barre restée collée à la table comme une longue sangsue.

*

Guersan montra une petite fissure sur la languette de sapin :

— J'avais bien vu, il s'agit de la barre. Je vais la changer ce soir. Venez demain reprendre ce violon qui aura retrouvé sa sonorité limpide.

Mon maître remercia :

— J'ai aussi une bonne nouvelle pour vous : je suis chargé de vous commander un violon pour le Dauphin. S'il vous plaît, faites en sorte qu'il convienne à un débutant mais qu'il ressemble à mon Stradivarius, au moins par la couleur du vernis. Le Dauphin était si marri de sortir uniquement des ronflements lugubres du violon qu'il avait tant envie de posséder qu'il lui en faudrait une copie. S'il avait pu le jouer, j'aurais été obligé de le lui laisser. Comme j'en ai promis un aussi beau, le surintendant m'a permis de vous le commander.

*

Un mois plus tard, je jouais avec le Dauphin un impromptu simple et charmant que Jean-Marie Leclair avait spécialement composé. Le prince se tira fort bien de ce duo qu'il voulut rejouer le soir chez sa mère. Et Guersan obtint le privilège de pouvoir ajouter à son enseigne le titre envié de « luthier de monseigneur le Dauphin ».

Opus 5

Les souvenirs de mon passage à la cour de France me reviennent en arpèges. Cette époque rompt tellement avec les autres périodes de ma vie qu'elle ne risque pas de mêler les événements qui l'ont marquée à d'autres plus récents.

Comment, par exemple, pourrais-je oublier les deux séjours à Fontainebleau où mon maître, prié avec l'orchestre de chambre, m'a conduit aux plus belles fêtes, dans un parc superbe ?

Comment pourrais-je ne pas non plus me souvenir des journées rares, à Versailles, où la reine avait souhaité entendre mon maître jouer Corelli tandis qu'elle-même posait devant le chevalet du peintre Carle Van Loo ? Le décor était exquis. Du menton de Leclair je voyais la reine Marie, belle et sereine dans son manteau fleurdelisé jeté sur sa robe blanche ornée de ramages d'or et de nœuds d'argent. La main gauche tenait une branche de jasmin, la droite l'éventail et pour nimber cette scène royale, la musique de Corelli jouée sur un Stradivarius !

*

À cette époque se situa aussi la parution de l'ouvrage d'un nommé Le Blanc qui sonna le branle-bas dans l'armée des violons. Son titre était tout un programme : *Défense de la basse de viole contre les entreprises du violon et les prétentions du violoncelle.*

Il y avait belle lurette que le violoncelle avait gagné la bataille en Italie et qu'il était en train de remporter celle de France. Aussi, vouloir revenir à la viole de gambe alors que tous les luthiers fabriquaient maintenant des violoncelles était chimérique. Mon maître et Mondonville, qui s'inspiraient de la musique italienne dans leurs compositions, étaient à la pointe de ce combat. Avec Guillemain, ils imposèrent le « gros violon », comme on disait dans les orchestres du roi.

À propos, je me demande ce qu'est devenu le violoncelle de Sa Seigneurie le prince de Kothen. C'était une basse, un grand modèle qui a laissé sa place en Italie, puis en France, au *violoncello* plus petit et plus maniable, le même que l'on joue encore aujourd'hui. Comme le violon, il avait acquis ses formes définitives dans les *botteghe* de Crémone, celles d'Amati, Stradivarius, Guarneri...

Aurais-je aimé être un violoncelle ? Je me suis souvent posé la question et ma réponse est claire : non. Je suis content de mon sort, apprécie l'union dynamique qui se crée entre le violon et l'interprète, goûte la volupté du geste qui me glisse précautionneusement entre le menton et la clavicule de mon complice alors que le violoncelle, calé entre les jambes, demeure distant, presque étranger à celui qui le joue. Cela dit, mes grands frères violoncelles semblent heureux et affirment qu'ils ne voudraient abandonner pour rien au monde l'ample carrure qui les distingue au sein de l'orchestre. Mais ce ne sont là que mots. Comment savoir si les sensations qu'éprouvent les *cellos*, comme disent maintenant les virtuoses, sont plus intenses que les élans qui nous enflamment, nous violons ?

Opus 6

Jean-Marie Leclair me traitait trop bien pour que je ne me surpasse pas les jours où il jouait devant la famille royale. C'était le genre de prestations qu'il préférait. Je l'entendais d'ailleurs fréquemment répondre à ceux qui lui demandaient pourquoi il n'honorait pas plus souvent de sa présence les « Concerts spirituels » du dimanche :

— Ces réunions musicales ouvertes au désordre m'agacent et je réserve mon talent à l'intimité royale.

Ce titre de « Concert spirituel » m'intriguait. J'avais écouté mes confrères, essayé de comprendre les conversations des autres violonistes et, ayant saisi de quoi il retournait, j'avais fini par regretter l'aversion de mon maître envers une institution à mes yeux plutôt plaisante. Ces concerts, initialement prévus pour participer à l'élévation morale des auditeurs, étaient devenus un centre de distraction où l'on venait par amour de la musique. Pourquoi s'en extraire ?

Et puis un jour, mon maître apprit que les œuvres de Mondonville et Gossec étaient jouées avec succès aux Tuileries, que le jeune virtuose italien Pugnani venait d'y remporter un triomphe et que Guignon avait été sacré « roi de violons » après une brillante démonstration. Malgré ses réticences, soucieux de sa popularité, il finit par accepter le défi de son vieux rival et ami : une joute sur la scène même où il avait juré de ne pas mettre les pieds.

*

Le duel Leclair-Guignon constitua l'événement de la saison. À la cour, on se disputa les derniers billets que de Vertousier, un courtisan malin, revendait à prix d'or. Du pain bénit pour réveiller le Concert spirituel qui, à cette époque de l'année, commençait à somnoler dans les mesures ressassées des motets de Lalande.

Les deux artistes firent éclater leur virtuosité dans leurs propres œuvres devant un public, d'ordinaire bruyant, qui les écouta avec respect. Il ne se manifesta qu'à la fin de chaque morceau, se partageant entre les partisans de Guignon et ceux de Leclair. À la fin, tandis que les deux violonistes se serraient la main, on en vint toutefois à s'invectiver au parterre. Les gazettes qui donnèrent l'avantage à mon maître écrivirent même que des coups furent échangés.

Tout cela était en vérité assez ridicule. Guignon le premier s'excusa de l'attitude de ses adeptes qui jugeaient que la partie n'avait pas été équitable sous prétexte que Leclair bénéficiait d'un avantage considérable. Lequel ? Moi. Mon maître avait joué un Stradivarius et son concurrent un instrument de moindre renommée ! Je dois dire que cette querelle qui, en fait, m'attribuait le succès, fit frétiller ma chanterelle. Les violons de la famille crémonaise y gagnèrent en tout cas beaucoup de prestige.

*

Un peu plus tard, Mondonville demanda à Jean-Marie Leclair de lui prêter son Stradivarius le temps de se familiariser avec ma puissance durant vingt-quatre heures et d'interpréter un concerto pour voix et violon avec Mlle Del, une cantatrice qui triomphait depuis quelques années en reprenant les grands rôles des opéras de Lully et de Rameau. Mondonville ayant déjà joué son œuvre avec un propre violon, sa reprise en ma compagnie était donc intéressante.

Je me suis donc retrouvé sur l'estrade du Concert spirituel entre les mains d'un maître chargé de faire éclater l'originalité du talent de Mondonville, dont, entre nous, je n'appréciais guère les manières. Il traitait en effet son Mirecourt avec une brutalité indigne de sa réputation. Je m'étais promis que s'il agissait ainsi envers moi, je ne manquerais pas de lui faire payer son impolitesse par un décroché sur une double corde, truc dont j'avais le secret, capable de déstabiliser le plus habile des virtuoses. Je n'eus heureusement pas l'occasion de punir M. Mondonville qui se montra tout à fait civil et me mania avec beaucoup de délicatesse. Ainsi, j'ai pu au contraire l'aider de mon mieux, essayant de m'adapter à son jeu qui me surprit à plusieurs reprises. Il fut applaudi, remercia chaleureusement mon maître et lui dit qu'il possédait le meilleur violon du monde.

Les réactions au duo auquel j'avais prêté ma miraculeuse structure sonore furent toutefois surprenantes. Contre toute attente, le public et la critique trouvèrent la seconde interprétation moins bonne. Quel sujet de discussion pour le monde de la musique toujours prêt à s'enflammer ! Vous pensez si j'écoutai tout ce qui se dit à ce propos ! Mes frères violons prirent parti de leur côté et les jaloux ne me ménagèrent pas. Si Mondonville avait obtenu un plus grand succès avec son violon habituel, c'est parce que j'étais moins bon. Ma renommée était usurpée et Stradivarius un luthier comme les autres. Voilà ce que j'entendis et j'en voulus au maître d'avoir permis cette confrontation ridicule. Heureusement, les gens sensés, les grands luthiers ainsi que Grimm dans sa *Correspondance littéraire* me rendirent justice : Mondonville, qui ne connaissait pas mes originalités sonores, avait été surpris par ma puissance, et par les réactions de la corde de *sol* en particulier. Malgré sa virtuosité et ma bonne volonté, l'auditoire avait ressenti les difficultés éprouvées à maîtriser ma fougue. Mondonville lui-même reconnut qu'un Stradivarius possède tellement de personnalité qu'il faut se soumettre à lui plutôt que chercher à le dompter. En somme qu'il avait eu tort de me jouer sans s'être accoutumé à la plénitude et à la portée de ma sonorité.

L'honneur était sauf. Le mien évidemment. Je repris donc avec plaisir mes habitudes dans les bras de Jean-Marie Leclair au sein des salons royaux, réprimant toujours un petit frisson quand le Dauphin disait à mon maître en souriant :

— Mon Stradivarius est vraiment magnifique. Il me tente, il me tente !

Et un soulagement me gagnait lorsqu'il ajoutait :

— Mais vous le jouez trop bien pour que je vous le retire.

Troisième livret

Chez Mme de Pompadour

Opus 1

À la cour, tout se sait ou se devine. Les musiciens se trouvent mêlés à la plupart des événements importants de la vie des princes et comptent parmi les mieux informés. On ne se méfie pas d'un virtuose qui sort son violon de sa boîte. Encore moins lorsqu'il l'accorde discrètement dans le coin d'un salon. Violonistes, flûtistes, hautboïstes, clavecinistes sont donc bien placés pour écouter, pénétrer les intrigues, surprendre les cachotteries des grandes dames ou prêter l'oreille aux confidences de quelques messieurs. Quant à nous, les violons et violoncelles, ce n'est pas pour rien que deux ouïes aux formes délicates ouvrent nos âmes sur le monde.

C'est ainsi que nous fûmes parmi les premiers à savoir que le roi, un moment désespéré par la mort subite de sa maîtresse, Mme de Châteauroux, devenait consolable et s'intéressait à une jeune femme d'une grande beauté qui passait les étés dans son château d'Étiolles, près de Choisy, où elle recevait les grands esprits du siècle. L'aube de la future Mme de Pompadour se levait.

*

J'eus moi-même la chance d'entrer dans ce cercle d'écrivains célèbres, d'artistes renommés, de poètes, de philosophes proches des Lumières durant les quelques jours où mon maître fut invité à jouer ses dernières œuvres, ainsi que des sonates de Corelli, sur la scène du domaine agencée comme celle d'un grand théâtre. La châtelaine d'Étiolles y jouait la comédie avec le duc de Nivernois, chantait avec Jélyotte, le célèbre ténor de l'Opéra, ou interprétait, accompagnée d'un clavecin, les chansons d'un répertoire riche de goût et de gaieté.

Le château était ravissant, le parc féerique et je goûtai avec bonheur cet après-midi durant lequel mon maître répéta son concert.

Mme d'Étiolles, qui avait demandé la permission d'assister à cette séance de travail, fut pleine de prévenance pour l'artiste, « le plus grand violoniste de l'époque », dit-elle. Des propos parfaits pour me plaire. Elle acheva de me gagner en admirant mes « formes exquises et les reflets pourprés » de mon vernis. À Leclair expliquant que j'avais été conçu par Antonio Stradivarius, que j'appartenais au Dauphin qui lui permettait de me jouer, la châtelaine confia qu'elle avait entendu parler du célèbre luthier italien.

Comme la plupart de ceux qui me découvraient, elle effleura le contour de mes C, ces incurvations qui donnent une taille de nymphe aux violons. Ses doigts étaient tellement fins, ses ongles si roses que cette caresse m'émut jusqu'au tréfonds de mon âme. Il faut dire que Mme d'Étiolles était pleine de grâce, svelte, élégante, dotée d'un charme ensorceleur qui pouvait expliquer l'intérêt que lui portait Louis le Bien-Aimé.

Elle nous écouta jouer avec beaucoup d'attention et, semble-t-il, de plaisir, avant de poser à mon maître des questions montrant qu'elle connaissait parfaitement la musique et n'appartenait pas à la caste de ces femmes du monde prétentieuses qui prennent un adagio pour une cavatine.

*

Une réception précédait le concert et Leclair, pour aller avaler je ne sais quelle horreur, me posa sur le clavecin installé au milieu de la scène. Il en aurait eu à me raconter, ce brave clavecin décoré de scènes galantes qui participait à toutes les fêtes ! Malheureusement, clavecin et violon ne parlent pas le même langage ; ils ne s'entendent que pour unir noblement leurs notes dans des accompagnements.

Dieu merci, comme je vous l'ai dit, disposant d'une ouïe fine, je m'instruisis beaucoup pendant que les robes de soie et les habits dorés se bousculaient autour des pyramides de friandises. J'appris ainsi que la divine maîtresse du logis avait reçu une éducation raffinée avant d'épouser un certain M. d'Étiolles et qu'elle soutenait son train de vie fastueux uniquement grâce aux libéralités du richissime Normant de Tournehem, fermier général, amant de sa mère et qui prétendait être son oncle.

J'aurais aimé qu'une bonne âme me désignât les célébrités qui devaient se presser devant les buffets, moi qui ne connaissais que Rameau, entrevu lors de réunions musicales. Son opéra-ballet *Les Indes galantes* avait obtenu un immense succès à sa création et était constamment repris. Les bons violons ont heureusement le privilège de pouvoir gommer les brouhahas et autres bruits de foules afin de consacrer leur attention auditive à une conversation choisie. J'entendis ainsi le compositeur présenter à

mon maître des personnages vraisemblablement importants : Fontenelle, un aimable vieillard, le président de
Montesquieu, Louis de Cahusac, parolier de Rameau,
Crébillon, l'auteur en vogue, l'abbé de Bernis, sans oublier
un petit homme à l'œil malin dont j'avais entendu parler
dans l'entourage de Leclair, appelé Voltaire. Il y avait
naturellement beaucoup d'autres personnes connues dont
je n'ai pas perçu ou retenu le nom.

*

Je commençais à m'ennuyer sur mon clavecin lorsque
les invités furent priés de s'asseoir devant la scène.
Mme d'Étiolles vint elle-même présenter mon maître qui
me tenait par le manche en écartant un peu les bras vers
l'assistance. Sa main puissante ne tremblait pas, mais j'aimais croire qu'elle me transmettait un message d'encoura-
gement, un signal excitant destiné à me prévenir que le jeu
allait commencer et qu'il comptait sur moi.

Mme d'Étiolles dit plein de choses aimables sur Leclair
et annonça les œuvres qu'il allait interpréter. Elle eut
même la délicatesse de préciser qu'il jouerait l'un des meilleurs violons du monde, œuvre de Stradivarius, le maître
luthier italien. J'étais sûr que Jean-Marie Leclair, sensible à
la beauté, se surpasserait pour la belle châtelaine et ne la
quitterait pas souvent des yeux durant le concert.

L'aurais-je voulu que je n'aurais pu éviter de suivre ses
regards et je ne le regrettai pas. Comment pouvais-je imaginer que lorsque je jouerais à nouveau devant l'hôtesse
d'Étiolles, ce serait à Versailles, et qu'elle porterait officiel-
lement le titre de marquise de Pompadour !

Opus 2

vec maître Leclair, nous ne nous ennuyions pas. Je dis nous parce que, j'ose le dire, nous formions une paire exemplaire. J'ajoute, au risque de paraître un peu trop content de moi, qu'il m'arrivait souvent d'intéresser l'auditoire autant sinon plus que le virtuose. Fréquemment après les concerts, on voulait voir de près « le » Stradivarius, me toucher et même, pour les plus hardis, faire tinter l'une de mes cordes. Afin de me soustraire à cette curiosité risquant de ternir mon vernis ou de me désaccorder, Leclair prenait soin de m'envelopper vite dans mon foulard de soie et de me ranger dans la *cassetta*. En endurant ses gestes précipités, j'ai quelquefois pensé que ma popularité l'agaçait.

Notre réputation devint vraiment fameuse lorsque mon maître, tenant aussi bien la plume que l'archet, composa sa série de sonates pour deux violons. Le succès fut immédiat aussi bien à la cour qu'au Concert et j'entendis affirmer, pour la première fois, que la musique française s'affranchissait enfin de la dépendance italienne, qu'une école nationale était en train de naître. Je ne comprenais pas très bien le sens de ces remarques, comme chaque fois que les littérateurs se piquent de parler musique, mais je me rendais compte qu'en jouant ces nouvelles sonates en compagnie des violons de Guignon ou de Mondonville, je contribuais à faire progresser l'art musical. Mais chut ! Voilà que je me mets à parler comme le sentencieux M. Rousseau.

*

C'est à peu près à cette époque que je vis prendre à mon maître, d'habitude calme et patient, la plus belle colère de sa vie.

La mode était alors aux roues dentées, aux pignons, aux cames qui faisaient fonctionner d'audacieux mécanismes inutiles mais surprenants. Un savant nommé Jacques de Vaucanson avait acquis une renommée immense en construisant des automates dont les plus ingénieux reproduisaient les mouvements et les bruits de la nature, tels son fameux *Canard* ou le *Joueur d'échecs*.

Comme tout le monde, mon maître s'en amusa, jusqu'au jour où il apprit, peiné, que les gazettes trouvaient le talent du *Flûteur* de Vaucanson supérieur à celui des flûtistes virtuoses Hotteterre et Blavet. L'humeur de Leclair vira à l'orage lorsqu'un envoyé du Concert spirituel osa lui demander de relever le défi du combat contre lui-même, jouant son Stradivarius, et le violoniste mécanique de Vaucanson. Interloqué par la requête, éberlué qu'on ait pensé faire rivaliser l'homme et la mécanique, mon maître entra alors dans une grande fureur et jeta dehors l'émissaire en lui décochant cette flèche que je trouvai bienvenue :

— Dites aux messieurs du Concert, ces mercantis de la musique, que Leclair ne concourt pas avec des machines et que l'âme de mon Stradivarius n'est pas à vendre !

*

Il avait dit « mon Stradivarius » et cette expression de possession m'avait conforté. Le Dauphin, peut-être, m'avait-il offert à lui ? Il n'en était rien, malheureusement. Je restais, j'en eus peu après confirmation, propriété de la famille royale.

Mon maître parlait ce jour-là avec son ami Mondonville des différents violons joués par les artistes en renom. Beaucoup venaient de chez les Luthiers du Vieux Paris, une compagnie qui regroupait des artisans, jeunes pour la plupart, fixés dans les petites rues anciennes de Saint-Sulpice ou de Saint-Germain-l'Auxerrois.

À Mondonville qui lui disait : « Toi, tu es tranquille avec ton merveilleux Stradivarius », j'entendis mon maître répondre :

— Pas du tout. Je vis dans la crainte qu'un membre de la famille royale ait envie de le reprendre ! Comme je redoute de me retrouver un jour sans violon, je vais m'en faire fabriquer un autre par Guersan.

Alors que les deux amis continuaient à deviser, je me vis soudain traité comme un jouet, massacré par quelque petit prince insupportable tandis que Leclair paradait avec un autre que moi dans la chambre de la reine. Ce me fut fort désagréable. Et sa phrase me glaça longtemps d'horreur.

Opus 3

Je me remettais à peine quand je dus souffrir une épreuve bien plus pénible.

Un jour, Leclair me rangea dans mon étui de maroquin rouge à gros grains estampé et doré de fleurs de lys et m'emmena avec lui. Comme il avait été appelé par le duc de Gramont pour diriger l'orchestre de son théâtre privé, je pensais que la petite voiture noire du maître nous conduisait dans sa propriété à Puteaux. Certes, nous allions bien là, mais, à ma grande surprise, nous nous arrêtâmes en route. Et quand Leclair ouvrit ma boîte, je découvris avec stupeur que je me retrouvai dans le nouvel atelier de Louis Guersan, rue des Fossés-Saint-Germain.

Louis Leclair fut, comme toujours, accueilli avec chaleur. C'était en effet pour Guersan une grande référence d'entretenir et de régler le violon le plus célèbre du Royaume. Enfin, tout me permettait de le croire.

— Quelque chose ne va pas ? demanda le luthier en me montrant du doigt.

Mon maître le rassura, lui expliquant qu'il était seulement désireux de faire redresser un peu mon chevalet. Or, cette opération bénigne, mon maître l'accomplissait généralement lui-même. Un doute s'empara de moi. De fait, il ajouta les mots que je craignais :

— Vous allez, mon cher Guersan, me faire un violon qui soit aussi beau, qui sonne aussi bien, qui ait une portée sonore aussi longue que celle mon Stradivarius.

Louis Guersan regarda le virtuose, l'air effaré :

— Ce que vous me demandez est impossible. Un Stradivarius est unique, inimitable. Je peux réaliser un violon qui, au lieu de respecter mes normes, ressemblera au vôtre par son aspect, ses dimensions, ses formes. Mais ses qualités sonores seront... ce qu'elles seront ! Sans doute médiocres car si je peux préjuger de mon travail habituel, petit patron, carrure étroite, ouïes fines, voûtes élevées, il faudrait un miracle pour que la copie dont vous rêvez possède la sonorité de votre Stradivarius. Je vous en prie, mon cher Leclair, laissez-moi vous faire un Guersan ! Vos confrères Labbé et Mondonville prouvent par leur succès que mes créations sont honnêtes. Il y a tout de même une vie après Stradivarius !

Il se tut brusquement, regarda mon maître avec effroi autant que supplication, et ajouta :

— Je serais tellement honoré si vous décidiez de jouer l'un de mes violons !

Leclair, rembruni, répondit qu'il allait réfléchir, que d'ailleurs rien ne pressait car il n'était pas question pour le moment qu'il se sépare de moi.

*

La voiture ayant repris le chemin de Puteaux, j'eus tout loisir de penser à ce que venait de proclamer Guersan. Il avait raison : j'étais unique au monde. Mais, hélas, comme mes frères violons, aussi à la merci d'un maladroit, d'une brute ou simplement d'un accident. Alors, il convenait d'oublier le pire et de profiter de la vie comme elle venait. « *Carpe diem* », avais-je souvent entendu dire à M. Bach en arrivant dans la salle de musique, lorsqu'il s'asseyait au clavecin et jouait une vingtaine de mesures de Vivaldi, toujours les mêmes. Je n'ai jamais su ce que signifiait exactement « *Carpe diem* » mais j'ai toujours pensé que ces deux mots étaient pleins de sens.

*

Je décidai donc d'oublier le passage chez le luthier et de vivre tranquillement la journée dans le beau château de M. le duc de Gramont, lieutenant général, colonel des gardes françaises et je crois bien gouverneur de Navarre.

C'était un homme agréable qui avait envers moi le regard brillant du connaisseur. Son grand plaisir était de jouer en duo avec mon maître. D'après celui-ci, il n'aimait pas tellement la guerre mais en revanche adorait la musique, lui qui possédait par ailleurs un bon violon italien de Francesco Ruggieri.

— Comme à l'habitude, je l'emporte avec moi demain en campagne, nous dit-il en le rangeant soigneusement dans son étui.

J'ignore si M. de Gramont eut le temps de jouer quelque *allegro*, le matin du 11 mai 1745, avant de prendre les ordres du maréchal de Saxe et de mourir bravement à Fontenoy !

Opus 4

Les orchestres ont toujours été des lieux de paroles. Si les musiciens doivent se taire quand ils jouent, il n'y a pas plus bavards qu'eux durant les interludes et les entractes. Quand un sujet touche directement la musique et prête à la controverse, alors, là, c'est la cacophonie des discours, la prise de bec entre le flûtiste et le bassiste, l'empoignade des violons. Qui aurait pu penser au temps du Bien-Aimé que, deux siècles plus tard, les historiens continueraient à épiloguer sur ce qu'on appela alors la querelle des Bouffons ?

Il faut dire que l'affaire n'avait pas seulement remué le monde des musiciens mais tous ceux qui s'intéressaient de près ou de loin au commerce des sons : les compositeurs, les chanteurs d'opéra, les marchands de confiseries du Concert spirituel, les membres de l'Académie royale de musique, les essoufflés d'orgue, les mordus du hautbois, les pamphlétaires professionnels et les philosophes de l'*Encyclopédie*.

J'ai mis du temps à comprendre ce que cachait ce tintamarre dont les échos n'épargnaient pas la cour. Il s'agissait au départ d'une querelle entre les partisans de l'opéra français, appelé aussi tragédie lyrique, et de l'opéra italien.

Le conflit s'était allumé le jour où la troupe des comédiens italiens, les *buffis*, jouait dans le cadre de l'Académie royale de musique *La Serva Padrona* de Pergolèse. Les partisans de l'opéra italien, qui s'appelaient eux-mêmes ceux du « coin de la reine » parce qu'ils étaient groupés près de la loge de la souveraine, ont-ils manifesté trop bruyamment leur enthousiasme ? Ont-ils tenu des propos outrageants sur la musique française ? Le fait est que les nationaux, rassemblés en face, dans le « coin du roi », se sont levés et ont envahi avec violence le carré adverse, déclenchant une furieuse bataille dans la salle.

*

L'affaire aurait pu se solder par quelques horions et un entrefilet dans les gazettes mais les philosophes, qu'on aurait pu croire plus mesurés, ranimèrent l'incendie sous la plume agressive de Grimm, Diderot, Holbach et surtout Rousseau.

Je me rappelle qu'à une représentation à l'Opéra, c'était je crois l'*Omphale* de Destouches, un libelle circula entre les pupitres, diatribe féroce de Grimm contre la musique française d'opéra, ses interprètes et ses orchestres traînés plus bas que terre. Rousseau se déchaînait. Je vois encore mon maître lire aux autres violons : « Le chant français n'est qu'un aboiement insupportable à toute oreille non prévenue. » Contre les partisans de la musique italienne, essentiellement les philosophes de l'*Encyclopédie*, se rangeait le « coin de la reine » derrière Mme de Pompadour et Rameau.

Finalement, après s'être intéressés au conflit des « deux coins », les musiciens se lassèrent et prirent le parti de rire de cette bouffonnerie qui, alors qu'elle avait fait couler beaucoup d'encre, sombra rapidement dans l'indifférence.

Qu'on en parle encore aujourd'hui et que je me souvienne de cette folle histoire est réellement étonnant !

*

Italien de naissance, français sous Louis XV, j'ai, au cours de ma vie de violon, vécu dans bien des pays. Il n'en reste pas moins que je reste fier de mes origines. Pourquoi d'ailleurs ne le serais-je pas avec ce nom prestigieux qui me vaut, encore aujourd'hui, un respect quasi universel ? Et, n'en déplaise à Rameau, sans l'Italie, la musique française en serait encore au temps du rebec et de l'épinette. J'exagère, mais les formes du violon n'ont-elles pas été trouvées par le vieil Amati, Stradivarius, Guarneri et les luthiers crémonais ? Les sonates et les concertos de Corelli et de Vivaldi n'ont-ils pas servi de modèles aux premières générations de compositeurs français virtuoses, dont Jean-Marie Leclair ?

Je m'emballe *allegretto* mais, tenez, voilà encore une trouvaille italienne : les castrats.

C'étaient des chanteurs qui, remarqués par leurs dons, avaient été châtrés dans leur enfance afin de conserver leur timbre de soprano. Je n'ai jamais bien compris en quoi consistait l'opération, car le corps des humains reste pour nous un mystère, mais j'ai souvent entendu mon maître parler de ce genre de chanteurs aujourd'hui disparus et je m'étonne encore du succès qu'ils remportaient dans les opéras de l'époque.

Italiens donc, les castrats ! Et cela ne date pas d'hier, cette pratique remonterait à la Haute Antiquité. C'est Mario, le violon joué par le jeune Canova entré depuis peu dans le cercle des grands virtuoses, un bon Brescia, qui m'a confié qu'ils avaient été protégés par l'Église car ils remplaçaient les voix de femmes, ces dernières n'étant pas autorisées à chanter dans les églises. Après avoir célébré Dieu dans les chapelles, les castrats furent recherchés en Italie puis en France par les théâtres. Depuis Monteverdi, tous les compositeurs ont introduit dans leurs opéras leurs voix célestes les rendant mieux payés que les autres chanteurs.

J'ai encore en mémoire le succès fabuleux qu'obtint le plus connu d'entre eux dans l'opéra *Giulio Cesare* de l'Anglais Haendel. Il s'appelait Farinelli et m'apparut sur la scène de l'Opéra presque difforme avec son gros ventre et sa cage thoracique exagérément développée. Mais quand il chanta, couvrant les hautbois, il envoûta le public et pénétra les violons jusqu'à l'âme.

Cette curieuse spécialité, pour nous, instruments, était troublante. Elle ne s'est pas éteinte en moi.

Opus 5

La vie aurait été bien monotone si nous n'avions été mêlés, par l'entremise de nos maîtres, à la plupart des événements qui agitaient les hautes sphères de la cour.

Je vous ai confié que la musique était partout à Versailles ; elle le fut davantage quand le duc de Richelieu reparut au retour du siège de Gênes, tout auréolé de son titre neuf de maréchal de France. Prenant son année de Premier Gentilhomme de la Chambre, il entendait exercer pleinement sa charge. Et cachait à peine son désir de chasser « la maîtresse roturière et tyrannique qui avait pris sur le roi une emprise intolérable ».

« Crosser dehors la petite Pompadour », comme il disait, relevait d'une grande prétention. Pourquoi diable, dans sa chasse aux « folles dépenses de la Dame », s'en prit-il aux musiciens habitués des cabinets du roi et décréta-t-il que ceux-ci ne seraient désormais employés, comme tous les autres collaborateurs des spectacles, qu'avec son autorisation ?

M. de la Valère, grand fauconnier de la Couronne, à qui Mme de Pompadour avait confié la charge de s'occuper des affaires du théâtre et de la musique, se voyait directement visé et, à travers lui, la marquise.

Celle-ci était de taille à se défendre mais les musiciens, chatouilleux sur leurs prérogatives et dévoués à l'amie du roi qui les protégeait, décidèrent de se manifester. Une délégation conduite par mon maître et par M. Guillemain fut reçue par M. de Richelieu qui leur confirma avec hauteur que les spectacles de Mme de Pompadour dépendaient désormais de lui et que c'en était fini des abus scandaleux introduits par M. de la Valère.

Il y a bien des façons pour un orchestre de manifester sa mauvaise humeur, par exemple le retard d'un soliste, le couac intempestif qui perturbe la répétition avant de troubler le concert lui-même, la lenteur qui fait durer le morceau et bâiller les auditeurs... Pour leur part, les instruments apportèrent volontiers le concours de leur mécanique intérieure à leurs maîtres.

Le maréchal, pas dupe, se rendit naturellement compte de ces manquements qui, comme par hasard, se produisaient les jours où il assistait à un concert. Mais il est plus facile de poursuivre une compagnie de uhlans que de tirer sur le violoniste ! Comment empêcher un orchestre de jubiler en voyant exploser un déplaisant maréchal ?

*

Cette situation tendue ne pouvait s'éterniser. Mme de Pompadour y mit fin en s'ouvrant au roi des agissements de Richelieu. Et le lendemain, nous eûmes le plaisir de voir nos maîtres rire aux éclats en écoutant le récit fidèlement rapporté de la scène qui s'en était suivie.

D'un ton glacé, le roi avait demandé au débotté à Richelieu combien de fois il était allé à la Bastille. « Trois, Sire. » Et le roi s'était mis à rappeler devant l'assistance les trois motifs. Le maréchal comprit la menace et engagea promptement la retraite.

Dès le lendemain, il assura Mme de Pompadour de son infini désir de ne point lui déplaire et on le vit causer avec M. de la Valère comme si aucune fausse note n'avait terni leurs relations. Il n'y eut pas de changement dans l'administration des théâtres des cabinets et Mme de Pompadour octroya une gratification à chaque musicien pour l'excellence de leur jeu lors des derniers concerts.

Je ne sais si cette largesse eut un rapport avec le cadeau que me fit peu après M. Leclair, un carré de soie neuf pour remplacer le vieux foulard dans lequel il m'enveloppait avant de me ranger dans ma cassette. En tout cas, je fus touché.

En vérité, nous sommes tous pareils, les violons de bonne famille : nous vivons en guettant sur le visage des maîtres un signe affectueux de reconnaissance envers leur fidèle compagnon. Le beau violon orangé du luthier parisien Salomon, que joue habituellement Guillemain, a bien raison de dire :

— Nous sommes tous trop émotifs et en subissons souvent les conséquences mais c'est à cause de notre sensibilité extrême que les hommes nous estiment et, ne l'oublions pas, nous ont inventés.

Opus 6

Je me souviens... L'expression revient souvent, mais que faire d'autre pour raconter une vie étrange et aventureuse de violon ? Ainsi, je me souviens de moments extraordinaires qui ont marqué mon séjour à la cour du roi de France, instants restés gravés dans ma mémoire comme des notes sur une partition.

*

Il existait dans le château de Versailles un escalier monumental, le grand escalier des Ambassadeurs où jadis Louis XIV, qui l'avait fait bâtir, mettait en scène les événements marquants du Royaume et faisait entendre des symphonies qui résonnaient impérialement dans ce large vaisseau. C'est ce monument, connu de toutes les cours d'Europe et maintes fois imité, qui fut sacrifié pour faire place au théâtre d'opéra souhaité par Mme de Pompadour. Comme l'escalier devait servir dans certaines circonstances traditionnelles, par exemple la procession des cordons bleus, la construction demeura mobile. On enlevait et on remontait le théâtre à volonté, opérations exigeant une vingtaine d'heures et coûtant cher. Moins que la construction de la scène prévue pour le fonctionnement de machines compliquées et dont la dépense se monta à soixante-quinze mille livres. Les ennemis de Mme de Pompadour parlèrent de sommes beaucoup plus importantes qui auraient été englouties dans cette fantaisie. Mais comme disait mon maître :

— L'art et surtout la musique n'ont pas de prix.

Lui-même était naturellement impatient de jouer dans ce nouvel espace et je répétais avec lui le concerto pour violon qu'il avait composé en vue de la séance d'inauguration, moments faisant vibrer l'émotion de la première fois où il m'avait emmené pour l'ouverture à la musique du salon d'Hercule.

*

Le nouveau théâtre était du meilleur goût. La marquise en avait dessiné elle-même les plans et comme elle souhaitait en faire la surprise au roi, celui-ci s'était abstenu de visiter la salle avant le premier spectacle. Il découvrit donc le 23 janvier 1749, en même temps que nous – je veux dire mon maître et moi – le décor bleu et argent qui offrait place à une quarantaine de spectateurs et autant de musiciens.

En saluant, maître Leclair me fit faire au bout de son bras l'arabesque habituelle qui me permit d'apercevoir auprès du roi la reine, belle mais toujours un peu triste, et ses filles, les trois Mesdames, Henriette, Adélaïde et Victoire. Un peu en arrière, superbe dans sa grande jupe de taffetas, un corset rose tendre et une mante de gaze vert et argent, Mme de Pompadour, accompagnée du vicomte de Rohan, vivait, superbe, le déroulement de son concert.

Quand je joue, je ne vois rien, qu'une brume diaprée. Il me fallut donc attendre la première pause pour découvrir l'assemblée choisie des invités composée de plusieurs cordons bleus, grands seigneurs, gens de lettres, amis personnels de la marquise. Dans ce cadre exceptionnel, le concert se révéla une grande réussite. Et à la fin, lorsque nous pûmes échanger quelques réflexions entre violons, basses et violoncelles, nous tombâmes d'accord pour convenir que nous devions beaucoup à Mme de Pompadour, admirable servante de la musique.

QUATRIÈME LIVRET

Le voyage à Londres

Opus 1

Mon maître parlait toujours d'un voyage en Italie. Il rêvait depuis sa jeunesse de connaître le pays où étaient nés l'opéra avec Monteverdi, la sonate sous l'archet divin de Vivaldi, le *concerto grosso* sous celui de Corelli, sans oublier les artistes de génie qui, d'Amati à mon père, le grand Stradivarius, avaient offert au violon sa forme éternelle. J'attendais donc autant que lui ce retour à la terre qui m'avait vu naître, imaginant un concert triomphal à Rome, un autre à Naples et un encore à Milan.

Je pensais aussi que M. Leclair ne pourrait s'empêcher d'aller jusqu'à Crémone voir à quoi ressemblait le quartier des luthiers. Il lui serait impossible de demander à mon père de m'ausculter et de me régler, puisque Antonio était mort – on l'avait appris je ne sais comment – depuis une vingtaine d'années. Mais son fils Omobono, peut-être ?

Si Jean-Marie Leclair avait plusieurs fois été convié à venir jouer en Italie, au dernier moment, le voyage avait toujours été annulé. Et tandis que l'horizon romain se dérobait, voici que mon maître fut invité par l'Académie royale de Londres à participer à un concert donné en

l'honneur du roi George II au palais de Whitehall recons-
truit après l'incendie qui l'avait dévasté en 1698.

*

J'ai appris ces détails de la bouche de mon maître qui
ne cessait de parler de son voyage aux confrères de l'orchestre. Tous évoquaient alors un musicien plus célèbre à
Londres que Bach ou Corelli, un certain Haendel qui, né
en Saxe, avait fait une carrière fulgurante en Angleterre.
C'est avec lui, auteur de quarante opéras et oratorios, que
devait jouer Leclair. Il avait proposé une sonate en *ré*, en
avait envoyé la partition à Paris et nous l'avions répétée et
même interprétée au concert de la reine. Si j'avais pu parler, j'aurais dit à mon maître que c'était la plus belle chose
que nous ayons jouée, mais je ne suis pas sûr que cela lui
aurait fait plaisir.

*

J'ai oublié beaucoup des voyages qui, en compagnie des
plus grands violonistes de leur temps, ont émaillé ma vie.
Pas la visite chez l'illustre M. Haendel. Je suis depuis souvent retourné à Londres, j'y ai même séjourné de longs
mois au temps du grand Viotti, connu des triomphes à
Covent Garden ; néanmoins c'est du concert de Whitehall
que je garde le meilleur souvenir.

Il était organisé à Banqueter House, une harmonieuse
construction en pierres de Portland d'inspiration italienne.
Toujours l'Italie ! Le plafond à caissons, je le revois très
bien, avait été réalisé par le peintre Rubens et célébrait la
dynastie des Stuart. L'acoustique, drôle de mot qu'adorent
employer les musiciens pour dire qu'une salle respecte
l'alchimie des sons, se révélait remarquable. Quant à

Haendel, il n'y a, je crois, que Bach qui m'ait autant marqué.

*

C'est un personnage imposant qui nous apparut à la porte de sa maison de Westminster, dans sa jaquette de velours brodé d'or, sa perruque blanche à l'anglaise et son visage rond de vieil enfant :

— Monsieur Leclair, c'est un plaisir de vous recevoir et Sa Majesté qui assistera au concert que nous donnerons ensemble vous fait savoir qu'elle apprécie votre visite.

Quand mon maître eut répondu comme il convenait à ces amabilités, M. George Frederic Haendel, qui avait anglicisé son nom depuis qu'il avait pris la nationalité de son nouveau pays, reprit d'un ton enjoué :

— Je vous ai attendu, monsieur Leclair, pour passer à table. Il est louable que nos relations professionnelles s'ouvrent sur un bon repas. J'attache, et j'en suis fier, une aimable importance aux nourritures. J'ignore ce qu'il en est pour vous mais je sais, moi, que je compose mieux et plus vite lorsque j'ai bien mangé et bien bu. Je viens d'un pays saxon où la cuisine n'est pas fameuse et vis dans un autre où elle est franchement mauvaise. Heureusement mon père, un chirurgien barbier renommé pour son adresse, était aussi bonne bouche. Bref, on a toujours bien mangé chez les Haendel. Et nous allons continuer avec des soles de Douvres que ma cuisinière mettra dans la poêle tandis que nous goûterons à quelques belles crevettes.

La gourmandise de mon maître m'insupporte mais je dois admettre que le repas annoncé par M. Haendel me paraissait plus sympathique que les montagnes de viandes et de sucreries des collations de la cour de France. En considération du temps que dura le déjeuner, et du teint rouge des deux compères à leur sortie de la salle à manger, j'ai conclu par la suite que le menu avait été excellent.

— Que diriez-vous maintenant d'une sonate à deux ? demanda le maître de maison.

Leclair acquiesça :

— Mon violon est dans l'entrée, il n'attend que cela, j'en suis sûr.

C'était vrai. J'avais hâte d'entendre M. Haendel qui jouissait, en dehors de son génie de compositeur, d'une excellente réputation de virtuose.

*

Dans le salon de musique, lorsque Leclair ouvrit ma *cassetta*, Haendel eut pour moi le regard curieux de n'importe quel violoniste. Il s'écria en m'apercevant :

— Mais je le connais, ce violon ! C'est le Stradivarius que jouait Jean-Sébastien Bach quand il était chez le prince Léopold ! Il était venu à la cour de Hanovre et ne tarissait pas d'éloges sur son superbe violon. Ainsi, c'est vous, Leclair, qui lui avez succédé !

Mes cordes vibrèrent de fierté dans la main de mon maître. Je l'avais presque oublié, le grand M. Bach. Et voilà que ce gentleman me reconnaissait à Londres tant d'années après !

— Oui, dit mon maître, ce Stradivarius a bien été joué par Bach mais je ne lui ai pas succédé aussi facilement que vous le pensez. En fait, Coucher de soleil – c'est son nom – a été offert par les héritiers du prince de Kothen à la cour de France, plus exactement au Dauphin qui a la bonté de m'en laisser l'usage.

— Vous avez de la chance ! dit Haendel. « Nous » avons de la chance, car je joue moi aussi un violon qui porte l'étiquette magique de Crémone. Tenez, venez voir !

*

J'aurais volontiers fait une galipette de doubles cordes pour manifester ma joie à l'idée de rencontrer un noble compatriote de l'*isola* de Crémone, un frère peut-être. Le violon – Haendel n'avait pas donné le nom qui figurait sur son étiquette – était à deux pas, posé sur une nappe de velours bleu.

Le sang des arbres à violons ne trompe pas. De là où je me trouvais, je reconnus immédiatement un Stradivarius. C'était la première fois que la vie m'accordait le plaisir de côtoyer un membre de ma famille et j'étais aussi ému que le jour où le prince Léopold m'avait confié à M. Bach.

Haendel n'avait pas besoin d'insister sur les qualités de son violon, elles sautaient aux ouïes. Cela ne me plaisait pas trop mais je devais reconnaître que, physiquement – on verrait plus tard pour la sonorité – il paraissait plus beau que moi.

— Quelle pièce magnifique ! s'enflamma mon maître. Son vernis rouge feu et le grain modelé de ses éclisses sont uniques.

— C'est pour cela qu'on l'appelle « l'Oiseau de feu ». Regardez, les courbes des ouïes et de la volute donnent l'apparence d'un oiseau en train de s'envoler. Je l'ai acheté à Stradivarius lui-même lors de mon voyage italien en 1708. C'est Jean-Gaston de Médicis, fils du grand-duc de Toscane qui m'en a donné les moyens contre une vingtaine de concerts et des leçons à ses deux enfants. Je revois encore le vieil Antonio me dire : « Le vernis est à peine sec, il va mieux flamboyer dans quelques mois. Mais attention au climat de vos pays du nord, l'humidité est l'ennemie des violons ! » J'ai joué deux ans mon Oiseau de feu en Italie où j'ai eu la chance d'être présenté au prince de Hanovre, futur George Ier d'Angleterre qui m'a pris sous sa protection. Mon bel Oiseau ne m'a pas quitté et voilà qu'aujourd'hui il va sonner en duo avec son frère. C'est peut-être la première fois que deux Stradivarius vont s'épanouir ensemble. Nous interpréterons, si vous le voulez, l'un de vos concertos pour deux violons puis le mien en *ré* majeur. De vous, je joue habituellement un concertino du 2e livre. Vous convient-il ? Je vais chercher les partitions.

— Pour moi, c'est inutile, dit M. Leclair. J'ai assez répété votre œuvre pour en connaître toutes les nuances.

La mémoire des musiciens me stupéfie. Ils se gravent des partitions entières dans la tête en deux temps trois mouvements. Pourquoi nous, violons, sommes-nous incapables de les garder en mémoire ?

En tout cas, Haendel fut surpris et dit avec un rien d'humilité qu'il devait, lui, utiliser la copie du concertino car cela faisait un moment qu'il l'avait joué.

*

Dès les premiers coups d'archet, nous sentîmes, Oiseau de feu et moi, que le duo allait fonctionner. Nos natures sonores, nos timbres n'étaient pas identiques ; Haendel et mon maître ne possédaient pas le même style de jeu mais nous n'étions pas sortis innocemment de la même *bottega*. Joués de main de maître, nous mêlâmes nos éclairs sonores dans un ciel magnifique.

Opus 2

Au fil des jours, les deux violonistes prirent du plaisir à jouer ensemble. Et le concert de Banqueting House remporta un tel succès que mon maître dut prolonger son séjour en Angleterre pour faire applaudir le désormais fameux duo des Stradivarius au King's Theatre, à Covent Garden, à Oxford, à la Royal Academy et dans d'autres lieux prestigieux dont j'ai oublié les noms.

Il nous semblait plaisant, à mon frère et à moi, de prendre parfois dans l'opinion le dessus sur nos maîtres. L'événement n'était plus ainsi la rencontre des virtuoses Haendel et Leclair, mais l'apothéose de deux instruments jumeaux et cependant différents. Ce fut une expérience extraordinaire. Le nom de Stradivarius, alors connu en France et en Angleterre des seuls amateurs éclairés, devint en quelques semaines aussi célèbre à Londres que celui de Shakespeare !

*

Hélas, tout a une fin. La reine réclama son virtuose à Versailles et l'entente entre Leclair et Haendel se mit à

89

battre de l'archet. Il aurait seulement fallu quelques concerts de plus pour qu'ils ne se quittent pas bons amis.

En vérité Haendel, célibataire égoïste, se lassait de partager ses succès. Et mon maître n'avait jamais disposé d'un caractère facile. Il entretenait avec sa seconde femme, Louise, des rapports bizarres et tendus.

Elle était pourtant gentille, Mme Leclair, et aurait mérité plus de respect, elle qui jouait très bien du clavecin et n'était pas maladroite au violon. Un jour où j'étais seul avec elle dans l'appartement, elle essaya de me prendre en main et, malgré ma bonne volonté, ne tira pas grand-chose de ma table sinon une mélodie nasillarde et grinçante. Elle s'escrimait depuis cinq minutes et commençait à adoucir ses aigus quand son mari fit irruption dans la pièce. En la voyant, Leclair insulta carrément la malheureuse, lui disant qu'elle allait me dérégler, que son jeu était misérable et qu'il lui avait déjà interdit de me toucher. Mme Louise n'essaya même pas de se disculper. Elle me reposa doucement sur la table et s'enfuit en pleurant.

Leclair, hélas !, ne put ressentir ma réprobation lorsqu'il me saisit et tenta de me prendre à témoin de la stupidité de son épouse. Il pesta, jura et je crois qu'il l'aurait battue si elle ne s'était pas sauvée.

Une question, à l'époque, m'a taraudé le chevillier : mon maître frappait-il sa femme, la bonne Louise qui faisait grincer mes cordes en cachette ? Je dois dire honnêtement que, si j'ai assisté souvent à des disputes, je ne l'ai jamais vu lever la main sur celle qui passait une grande part de ses jours à graver ses œuvres. Elle avait pourtant du travail, la malheureuse, car Leclair était un compositeur infatigable. Pour violon, pour cordes et basse continue, pour flûte et hautbois, sa production aurait pu alimenter la programmation du Concert spirituel durant des années. Cela en représentait des feuilles de portées où la bonne

Mme Leclair posait des grappes de noires et de blanches vendangées par son illustre mari !

Comme j'aurais donc voulu alors lui faire connaître mon mépris, lui dire qu'il avait une femme intelligente et que je ne craignais rien entre ses douces mains, même si elle ne tirait pas grand-chose de moi. Avait-il oublié, ce monsieur irascible, que la chance de pouvoir profiter de mes vertus ne lui revenait pas ?

*

Le mauvais caractère de Haendel m'a rappelé celui de mon maître et cette scène désolante déjà ancienne. Comme quoi la mauvaise foi et le caractère difficile des artistes sont de tous les pays.

Opus 3

Après avoir pris congé de la musique anglaise, nous regagnâmes Paris et Versailles, retrouvâmes les après-midi musicales dans les petits cabinets ainsi que les concerts de la reine. Cette grande dame me connaissait bien. Elle aimait parfois passer ses doigts sur mes cordes et faire siffler ma chanterelle avant que je regagne mon étui capitonné. J'en frémissais à l'avance de plaisir.

Je regrettais bien sûr l'Oiseau de feu et nos folles envolées mais j'avais conquis dans l'orchestre un nouveau compagnon. Il n'était pas de la lignée des Stradivarius mais il sonnait juste et fort. C'était le nouveau violon de Mondonville, un Guarnerius qui n'atteignait peut-être pas mes sommets mais qui possédait la touche magique de Crémone.

Au début, cela m'avait un peu ennuyé d'avoir un concurrent mais j'ai vite apprécié le plaisir de pouvoir parler à quelqu'un de mon rang. Nous étions deux maintenant à considérer les violons roturiers avec une certaine condescendance. Le mot « snob » n'existait pas à cette époque, mais nous l'étions et le sommes restés. Moins tout de même que nos maîtres qui plastronnent en nous exhibant comme des bêtes curieuses !

*

Je ne vous ai pas encore parlé de l'archet. Pourtant, sans les archets, nous, violons, ne serions rien. Vous me direz que, sans le violon, l'archet serait encore moins. Dans cette association le violon a pris le beau rôle mais nous savons bien, nous, depuis le temps que les humains frottent nos cordes pour en tirer des sons, que l'archet n'est pas un simple accessoire.

Un mauvais archet peut non seulement dénaturer l'œuvre musicale mais aussi nous faire souffrir. Mon maître en possède trois et je reconnais d'emblée celui sur lequel il a jeté son dévolu dès la première attaque. Je me suis en outre aisément habitué à eux. Il faut dire que Leclair sait les choisir en fonction du morceau qu'il doit jouer. Mais, parfois, il y a quelques désaccords entre nous.

*

Ainsi, l'autre jour, il a essayé un nouvel archet que le luthier Guersan venait de fabriquer. Et cette première rencontre a viré au calvaire.

Dès le premier contact avec mes cordes, la mèche a irrité ma fragile charpente, tendu à la rompre la barre d'harmonie, agacé mon âme. Le cheval qui avait donné ses crins à cet instrument de malheur devait être un oreillard ombrageux ! Il m'était impossible d'apprécier la réaction de Leclair mais à ouïr son concerto devenu sous la pesée de l'archet un long gémissement, elle ne pouvait qu'être vive puisqu'il jura et en arriva à jeter rageusement le fautif sur la table.

Le malheureux Guersan avait eu tort de vouloir innover en modifiant trop radicalement la courbe habituelle de l'archet ! Celui-ci, pourtant, avait changé depuis le temps où le compagnon Berlutti construisait chez Stradivarius ceux que maniaient avec leur fougue habituelle Vivaldi, Corelli et les premiers virtuoses, mais les modifications avaient été légères, presque imperceptibles. Je devrai donc, comme mes confrères, attendre des années pour que de vrais archetiers proposent aux violonistes les auxiliaires de la nouvelle génération.

*

J'ai souvent parlé, à Londres avec l'Oiseau de feu, à Paris avec le Vent – le nom du Guarnerius de Mondonville –, des relations subtiles se nouant entre le violon et l'archet, entre l'archet et le virtuose. Et tous en convenaient : voilà trois acteurs dotés chacun de leur caractère qui, certes, ne s'entendent pas toujours mais qui, quand ils font bon ménage, permettent les plus grandes réussites.

Opus 4

Nous étions de bons amis, le Vent de Guarnerius et moi, mais nos maîtres, s'ils affectaient en public une grande cordialité, se détestaient. Nous en riions entre nous et échangions un sourire complice en les observant se congratuler.

La nomination de Mondonville à la charge de directeur musical et chef d'orchestre du Concert spirituel n'arrangea pas les choses. Mon maître, vexé, apparut de plus en plus irascible, accabla plus que jamais sa femme de reproches et se mit à m'invectiver chaque fois qu'il ne réussissait pas une double corde, comme si j'étais responsable de la nervosité déviant son poignet.

Et ce qui devait arriver arriva : mon maître se sépara de sa femme, à moins que ce fût elle qui quitta le domicile conjugal. Cette rupture me désola mais, contre toute attente, elle parut calmer Leclair qui engagea une cuisinière et mena une existence plus tranquille et sereine. Les fêtes organisées à l'occasion de la naissance du duc de Berry l'occupèrent puisqu'il composa alors de fort belles musiques. Mais je ne me doutais pas, en jouant devant son berceau, que cet enfant, deuxième fils du Dauphin, régnerait un jour sous le nom de Louis XVI.

Les années qui suivirent ne me laissèrent pas de souvenirs. Sans doute furent-elles sans relief dans ma vie de violon attachée à celle de Leclair. Jusqu'au jour où la destinée rompit involontairement notre association.

Dans des conditions dramatiques.

Opus 5

Cette journée de début avril 1764 avait été morose. Leclair, calé dans le carrosse qui nous ramenait de Choisy, ne disait pas un mot à son voisin, le violoniste Guillaume-François Vial. Ce dernier était son neveu, ou plutôt celui de sa femme. Et si mon maître lui reconnaissait un certain brio – qui, précisait-il, n'est pas le talent –, il détestait l'homme, l'ayant plusieurs fois accusé de vouloir l'empoisonner à l'instigation de son épouse, ce qui semblait ridicule. Leclair avait été mandé à Choisy par Mme de Pompadour qu'on disait mourante et qui avait émis le désir d'entendre jouer un concerto pour deux violons de Corelli. Prévenu au dernier moment, mon maître n'avait trouvé que Vial pour l'accompagner.

La marquise, installée dans un fauteuil près de la cheminée, fragilisée par la fluxion de poitrine qui la faisait souffrir, avait écouté l'œuvre de Corelli qu'elle aimait particulièrement les yeux à demi fermés. Au bout d'un quart d'heure, la duchesse de Choiseul, présente dans le salon, nous avait discrètement fait signe d'arrêter :

— La marquise s'est endormie. Vous lui pardonnerez de ne pas vous avoir remerciés. Je crois que la musique l'a calmée et qu'elle pourra dès demain être ramenée à Versailles. Je vous souhaite, messieurs, un bon voyage de retour.

Bon, le voyage ? Il fut sinistre. La pluie se mit à tomber et j'imaginais à travers le couvercle de ma cassette Leclair lancer des regards furibonds vers son neveu qui avait pourtant très bien joué la *Sonate n° 3* d'Archangelo Corelli.

*

Ce qui arriva à la fin du triste périple à Choisy est incroyable. Du début de l'histoire, je peux témoigner, mais les événements qui ont suivi et que je n'ai reconstitués qu'en partie demeurent une énigme.

Donc il pleuvait et la nuit venait de tomber lorsque le carrosse de l'intendance des Menus Plaisirs déposa mon maître au coin de la rue des Carmélites où il habitait. Il répondit à peine au salut de son neveu qui logeait non loin et, serrant la poignée de ma *cassetta*, s'engagea, énervé, sur les pavés inégaux et glissants de la rue.

Il n'avait que quatre ou cinq cents pieds à parcourir pour arriver à sa maison et pressait le pas car la pluie redoublait quand, tout à coup, je me sentis projeté sur le pavé où ma boîte se démantela, me laissant retourné sur ma table, les cordes dans le ruisseau. Le choc fut si brutal que j'entendis à peine un grand cri, qui devait être celui de mon maître, et le son d'une fuite. Soudain, le claquement de ces semelles de bois s'arrêta et j'eus l'impression que l'inconnu revenait sur ses pas. Est-ce l'agresseur qui me ramassa et m'emporta sous son manteau ? Je ne puis le dire. Je crus juste, à ce moment, apercevoir sur le sol le corps inerte de mon maître. Tremblant de toutes mes cordes puis aveuglé, délabré, je perdis vite conscience, serré par la poigne de fer de l'homme au manteau.

*

Après, ce fut le trou noir. Je n'ai aucun souvenir des jours, des mois, des années peut-être, qui m'ont retiré de l'univers des violons.

Je me suis retrouvé en fait dans la situation qui avait été mienne après le décès du prince de Kothen : injouable parce que mutilé, sans personne pour me soigner et tenter de me rendre ma voix. Mais contrairement au placard obscur du duc de Saxe, je reposais cette fois derrière les vitres crasseuses d'une boutique de brocanteur à l'enseigne de *Presque rien*.

Voilà. Ici, je n'étais rien parmi de vieilles assiettes, une relique désaccordée au milieu de gobelets ébréchés, de pièces romaines venues de bien bas et de quenouilles emmêlées tombées de haut. Il y avait aussi un hibou empaillé et une viole qui avait dû faire danser sous le roi Henri IV dont il ne restait qu'une carcasse défoncée. Après tout, la viole était une ancêtre qui avait probablement des histoires à raconter ; j'ai essayé plusieurs fois de lier conversation avec elle mais la pauvre vieille ne parlait plus depuis longtemps. Si jamais elle avait parlé puisque je me suis laissé dire que la parole n'était venue que fort tard aux violons de qualité, et que je n'avais moi-même jamais pu tirer en réponse à mes questions que de vagues borborygmes de la viole de gambe du seigneur de Kothen.

De mon observatoire – le brocanteur m'avait accroché à un bout de chaîne qui pendait au plafond –, je pouvais voir passer les gens dans la rue, mais cela ne m'apprenait rien de l'endroit où je me trouvais. Convaincu qu'on ne m'aurait pas porté jusqu'à l'étranger pour me faire croupir dans cet amas de vieilleries, j'en concluais que j'étais toujours en France, peut-être même à Paris.

Je ne pourrais dire combien de temps je suis resté prisonnier de ce fatras. J'aurais pu mourir dans ma vitrine poussiéreuse sous l'œil du hibou – ce qui arrive parfois aux enfants à qui personne ne parle –, si le destin, qui m'avait été tellement favorable jusqu'à l'agression, ne m'avait tiré de ce mauvais pas.

La bonne fortune prit les traits d'un jeune homme qui n'était jamais passé, auparavant, dans la rue où j'agonisais. Ce jour de beau temps, il l'avait empruntée par hasard, pour allonger un peu le trajet qui le ramenait chez lui. Encore un signe de ma bonne fortune : si le ciel avait été gris et pluvieux, il lui aurait été impossible de me voir derrière ma vitre, et il ne serait même pas venu dans cette rue. Mais il m'aperçut fixé à mon crochet. Et ma forme inerte, d'où pendaient quelques doigts d'une corde de *la*, l'intrigua. Il resta un moment sans me quitter des yeux et finit par entrer. Le brocanteur, le bonhomme qui vivait dans son capharnaüm comme un vieux rat, se précipita à sa rencontre. La pratique était rare, aussi se montra-t-il aimable :

— Bonsoir, mon bon monsieur, je vous ai vu regarder mon hibou. Il est comme vivant. Vous avez vu ses yeux ?

— Non. Je voudrais scruter de plus près le violon, si on peut appeler cela un violon, qui pend à côté.

— Il n'est pas neuf, c'est sûr, mais il est réparable. Attendez que je le descende pour l'essuyer. Vous savez, on a beau faire le ménage, ici, la poussière est partout.

Le jeune homme me prit en main et, en notant la manière dont il me regarda, un fol espoir me saisit. Cette espérance grandit quand il me sortit au jour de la rue et chercha un rayon de soleil complice afin de mieux ausculter mon intérieur à travers l'ouïe, celle de gauche d'où l'on peut distinguer l'étiquette.

« Puisse cet inconnu y lire le nom de mon père et savoir qui était Antonio Stradivarius ! » Si j'avais été un humain, j'aurais prié le ciel mais les violons ne connaissent qu'un dieu, la musique. Alors j'ai prié la musique, ma seule raison d'exister dans ce monde bizarre.

« *Miracolo !* » comme on disait dans la *bottega* lorsqu'un nouveau violon sonnait bien dès le premier coup d'archet. Car le passant de la bonne étoile demanda :

— Combien, ce débris de violon ?

Ce n'était pas aimable mais je n'en voulus pas à celui qui allait peut-être me sauver. Je compris sur-le-champ qu'il me dépréciait pour ne point me payer cher. Le vieux grigou proposa un prix qui devait être bas car le jeune homme ne marchanda pas. Il paya et m'emporta, enveloppé dans un morceau de toile aussi sale que ma carcasse meurtrie.

Opus 6

Inutile de vous raconter ma joie, mon espoir de renaissance quand je quittai la sinistre boutique. Mieux vaut en venir tout de suite au lendemain qui reste l'un des plus beaux jours de ma vie.

Tôt le matin, je me suis en effet retrouvé déballé sur une table, dans un local qui ne m'était pas inconnu où, bouleversé, j'aurais voulu éclater du fracas de toutes les notes, de toutes les œuvres que j'avais jouées. Car ce n'était pas une tromperie : j'étais de nouveau chez maître Louis Guersan. Celui-ci, ému, promenait son regard sur toutes les parties de mon corps blessé. Ses yeux laissèrent même tomber une larme, aussitôt bue par la poussière qui cachait mon vernis. Je la ressens encore, cette perle de luthier qui scellait ma délivrance.

Il m'avait tout de suite reconnu et, déconcerté par mon improbable retour, avait questionné mon sauveur :

— Où diable as-tu trouvé le violon du Dauphin que la police recherche depuis l'assassinat de monsieur Leclair ?

J'allais peut-être enfin savoir ce qui était arrivé ce soir d'avril où il pleuvait ! Louis Guersan avait parlé d'assassinat, m'apprenant déjà que mon maître était mort. J'ouvris grandes mes ouïes pour entendre le jeune homme raconter :

— Je suis allé par hasard dans une petite rue de la paroisse Saint-Germain où j'ai aperçu dans la vitrine d'un brocanteur un reste de violon qui pendait, misérable, au bout d'une chaîne.

— Et tu as reconnu le Stradivarius de Leclair ? Quel œil, mon petit Pierre !

— Je n'ai rien reconnu du tout mais vous savez, maître, qu'un luthier ne peut passer à côté de quelque chose qui ressemble à un violon sans y prêter attention. La vitre était sale, le violon couvert de poussière, pourtant sa forme estompée me parut intéressante. Je suis donc entré, j'ai reconnu un violon sans doute italien et ai finalement pu lire sur l'étiquette un peu effacée « *...tonio Stradiv...* ». Je n'ai plus eu alors qu'une idée : acheter le violon avec l'argent que vous m'aviez demandé de porter au droguiste et partir avec ma trouvaille. Je n'ai pas négocié et ai payé les trois livres que le marchand me demandait. Ai-je bien fait ?

— Tu as fait mieux : tu as sauvé un instrument inestimable. Notre atelier, qui a l'honneur de porter l'enseigne de *Luthier de monseigneur le Dauphin*, va remettre en état son violon perdu. Et c'est toi, compagnon Pierre Rastadt, que je charge de ce travail !

— Merci, maître. Je vais faire de mon mieux.

— Ce n'est pas suffisant. Tu vas te surpasser pour mériter l'honneur qui t'est accordé de sauver l'existence d'un violon d'Antonio Stradivarius. Tous les luthiers du monde rêveraient d'être à ta place.

— Vous m'aiderez, mon maître ?

— Bien sûr. Et voilà ce qu'il faut faire pour commencer : d'abord laver, nettoyer Coucher de soleil pour enlever les nuages noirs qui cachent sa fulgurance. Puis le laisser sécher et le détabler pour vérifier si aucune fissure, aucune fêlure n'apparaissent. Si le bois est perforé à certains endroits, nous réparerons notre violon mais il courra le risque de perdre sa fastueuse sonorité et se métamorphosera en Stradivarius rabiboché. Sinon, nous lui rendrons la luminosité, la pureté de ses vibrations, la puissance de son timbre et aussi sa suprême beauté. Quand je vais raconter cela à ton père !

— Il est déjà au courant. Je lui ai montré mon achat, il s'est exclamé que je ne l'avais pas payé le centième de son prix !

Opus 7

Je saurai bientôt que Pierre, mon sauveur, apprenti puis compagnon chez Louis Guersan, était le fils de Rastadt, facteur de clavecins rue Lévesque. Et j'étais heureux qu'il soit en personne chargé de soigner mon corps et mon âme. Ce qu'il entreprit avec une grande délicatesse.

Pierre démonta d'abord ma touche puis mon manche et nettoya ma caisse qui retrouva un peu de son feu vermeil. Quand vint le moment délicat du détablage, Guersan vint le rassurer :

— Ce n'est pas tous les jours que tu seras amené à détabler un Stradivarius ! J'ai moi-même démonté celui-ci il y a une dizaine d'années pour changer la barre. Le pauvre Leclair mourait de peur. Le tout est de tenir la lame fermement et de peser progressivement dessus. Le reste se fait tout seul. Vas-y, Pierre !

Le fils Rastadt savait tenir l'outil. Il avait déjà détablé des violons. La lame m'ouvrit d'un seul coup, offrant mon intérieur au regard inquiet des deux luthiers.

*

Minutieusement, ils examinèrent chaque parcelle de sapin, s'arrêtant parfois avec un verre grossissant sur une trace suspecte, grattant ailleurs à l'emplacement d'une tache. Finalement, Louis Guersan demanda :

— As-tu remarqué quelque chose, Pierre ? Moi non. Dieu merci, notre violon n'a pas été atteint dans ses œuvres vives. Une dernière toilette, quelques retouches de vernis, des cordes neuves et un chevalet que nous allons tailler dans une feuille d'érable de Bosnie et, bientôt, Coucher de soleil pourra reprendre son service royal. Je me demande à qui le Dauphin va confier ton violon. Car c'est un peu le tien ! En le sauvant, tu es entré dans son histoire et l'histoire d'un Stradivarius est éternelle !

*

Le bonheur devait se refléter dans la brillance de mon vernis. Après avoir été si près de connaître une fin déshonorante, j'allais de nouveau être joué à la cour. Je me demandais seulement par qui. Mondonville ? Ses déhanchements me gênent. Et c'est un jaloux. Restent Guillemain et Guignon. Le jeu du premier est d'une belle légèreté et le second se trouve au service de la reine. Enfin, de toute façon, on ne requerra pas mon avis et je servirai dignement celui qui sera désigné.

En attendant, accroché par ma volute au fil où étaient pendus deux autres violons en cours de fabrication, je disposais d'une vue réjouissante sur l'atelier et me distrayais en observant le jeune Rastadt tailler avec passion mon nouveau chevalet. Je me sentais tout à fait bien. Je ne pouvais me voir mais je savais avoir retrouvé la beauté et l'élégance dont mon père m'a honoré.

CINQUIÈME LIVRET

Tribulations en la majeur

Opus 1

Un jour, enfin, Louis Guersan me décrocha, vérifia une ultime fois mes accords, me déposa dans la niche capitonnée d'une nouvelle cassette et m'emporta vers le château de Versailles dans un carrosse loué pour la circonstance.

— Croyez-vous, maître, que nous verrons le Dauphin ? demanda en chemin Pierre, pour qui le luthier espérait obtenir une récompense méritée.

— Cela m'étonnerait. On le dit malade et il ne s'est jamais beaucoup intéressé à son violon. Nous allons plutôt être reçus par le marquis de Marigny, directeur général des Bâtiments, Arts et Manufactures du roi. Il est aussi frère de Mme de Pompadour.

Je tressaillis en entendant ce nom. C'est après avoir joué pour elle à Choisy que Leclair avait été assassiné. Je gardais malgré tout un bon souvenir de cette superbe dame qui aimait Corelli.

*

Je ne fus pas remis à M. de Marigny mais à un certain Papillon de la Ferté, personnage aimable et important à ce que je crus comprendre. Son titre d'intendant des Menus Plaisirs ne me disait pas grand-chose mais j'entendis M. Guersan expliquer à Pierre qu'il avait la haute main sur les finances de la Chambre et de la Garde-robe du roi, en particulier les spectacles.

— Comme j'aimerais savoir jouer du violon ! s'enflamma M. Papillon en posant sur moi ses petits yeux noirs. Je connais l'histoire de ce Stradivarius qui est la propriété de l'Administration du Royaume. On m'a dit qu'il avait été endommagé par les meurtriers de ce pauvre Leclair mais je constate que vous lui avez rendu tout son éclat.

Guersan expliqua alors la façon dont son jeune compagnon m'avait sauvé et tous les travaux de restauration nécessités par mon déplorable état. Le jeune Pierre, intimidé, remercia à peine quand l'intendant des Menus Plaisirs déclara qu'il fallait ajouter à la facture des réparations une digne récompense pour lui. Mon sauveur la méritait à coup sûr !

*

— Savez-vous, monsieur, qui succédera à Leclair pour jouer ce merveilleux instrument ? s'enquit ensuite à bon escient Guersan.

— Oh ! La question enflamme depuis quelque temps le petit monde de la musique. Dès que la réapparition du violon a été connue, les virtuoses du Concert spirituel et tous les autres ont fait valoir leur excellence et intrigué auprès des hautes autorités de la cour. Monsieur de Marigny, le Dauphin, la reine elle-même sont assaillis. Entre Mondonville, Guillemain, Guignon et le brillant Gaviniès, je ne sais qui sera choisi. Jouer Coucher de soleil, je crois que c'est son nom, semble considéré aujourd'hui comme le plus grand honneur que puisse briguer un violoniste. C'est un peu ridicule mais tant qu'il n'existera qu'un Stradivarius dans le Royaume, il en sera ainsi.

Je dois avouer que ce discours, à part la dernière phrase, me comblait d'aise. Après ma douloureuse aventure, je goûtais le plaisir d'être désiré. Mais une ultime épreuve m'était imposée : en attendant ma rentrée triomphale à la cour sous l'archet d'un de ces messieurs, M. Papillon de la Ferté rabattit sans vergogne mon couvercle et mon caquet : il appela un valet et lui demanda ni plus ni moins de m'enfermer à double tour dans un placard !

Opus 2

Heureusement, je ne suis pas resté longtemps privé de lumière. Et j'appris, lorsqu'on me rendit à l'univers doré de Versailles, que, les membres de la famille royale n'ayant pu se mettre d'accord pour désigner le successeur de Leclair, ils avaient décidé de me faire jouer alternativement par Mondonville, Guillemain et Guignon, cela par périodes de trois mois !

Cet arrangement ne me plut guère mais on ne demande pas son avis à un violon, fût-il issu de la cuisse de Stradivarius.

Notez en passant comment – et c'est drôle – j'emploie des expressions remarquées dans la conversation des humains. Ainsi mon premier maître, M. Bach, disait souvent que tel musicien n'était pas sorti de la cuisse de Jupiter ! Jouer avec les mots de la conversation des personnes qui m'entourent me distrait souvent de leur suffisance.

Mais je m'égare. Qui peut s'intéresser aux méditations d'un Stradivarius ronchon ?

*

Passer de main en main présentait quelques avantages, dont celui de faire oublier, par exemple, la monotonie d'un geste, d'un style trop vite familier.

J'ai toujours aimé étudier et juger la personnalité des musiciens. J'ai ainsi pu apprécier la rigueur de Mondonville dans l'exécution de ses motets et sonates, la virtuosité hors pair de Louis-Gabriel Guillemain qui, je m'en rendrai compte plus tard, annonçait les audaces de Paganini. Hélas, Guillemain, de caractère sombre et mélancolique, avait un penchant pour ce que les hommes appellent l'alcool. De fait, je détestais l'haleine forte et fétide qu'il exhalait parfois sur ma délicate personne. Enfin, à la cour, j'ai adoré la légèreté incomparable du jeu de Louis-Pierre Guignon. Je n'ai, je crois, jamais retrouvé, au cours de ma longue carrière, un artiste dont l'archet était aussi délié.

Aux trois virtuoses chargés d'utiliser mes dons, je dois ajouter Pierre Gaviniès qui m'a lui aussi souvent employé. Pas assez à mon gré car c'est lui qui me convenait le mieux, par sa jeunesse, la hardiesse de son jeu, l'amplitude de ses mouvements. Fils d'un luthier, il avait fait ses débuts en public à treize ans aux Tuileries dans un morceau de Leclair. À vingt ans, il y était revenu et avait pris peu à peu le dessus sur mon trio officiel vieillissant. Il devint si célèbre que M. de Marigny lui permit de me jouer dans les grandes occasions.

*

Je me rappelle une folle séance où il a interprété sur mes cordes, au Concert spirituel, le fameux *Trille du diable* de l'Italien Tartini. *Le Trille du diable*, c'est toute une histoire. On en parle encore aujourd'hui !

Tartini a lui-même raconté qu'une nuit il avait fait un songe au cours duquel s'était scellé un pacte avec le diable.

Au lieu de formuler un souhait, il avait tendu son violon au prince des démons et lui avait demandé d'interpréter le morceau qu'il lui plairait. À sa grande stupéfaction, le compositeur entendit un air merveilleux exécuté avec un brio qui l'éblouit à tel point qu'il reprit son violon et essaya de répéter ce qu'il venait d'entendre. La tentative s'avéra inutile mais, se souvenant des éclairs d'un trille particulièrement vif, Tartini composa une œuvre à laquelle il donna le nom de *Sonate du diable*, la meilleure qu'il ait jamais écrite.

Cette pièce, avec son fameux trille, m'emporta dans un élan vraiment diabolique. Et de cet après-midi où nous fûmes acclamés, Pierre Gaviniès garda le surnom de Tartini français. Personne, depuis, n'a joué avec moi cette sonate avec, dans le dernier mouvement, le *Trillo del Diavolo*.

Opus 3

De menton en pomme d'Adam, de galoche en cou de héron, j'ai vécu chez les violonistes royaux des années agréables coupées par de reposantes visites chez Louis Guersan. C'est Pierre Rastadt, mon sauveur, qui s'occupait de moi au *Luth Royal*, me réglait, vérifiait la courbure de ma touche et de mon chevalet, changeait mes cordes et inclinait mon âme vers l'absolu. Aux soins dont il m'a entouré toutes ces années, j'ai pu mesurer l'amour qu'il me portait. Dommage, il jouait mal du violon. J'aurais tellement aimé communier avec lui dans une sonate de Bach ou de Mondonville !

*

On prétend que les bons violons ne meurent jamais. C'est faux, puisque j'ai entendu dire dans la *bottega* de Crémone qu'un fou volait les plus beaux instruments pour les regarder brûler et éclater dans sa cheminée. N'ai-je pas d'ailleurs moi-même failli périr sous l'œil d'un hibou antipathique ? Disons donc que l'élite des violons vit très vieille. Sans doute les prix démentiels qu'ils atteignent ne sont-ils pas étrangers aux bons soins qu'on leur prodigue !

Les humains, eux, passent dans la vie comme la cavatine de Monteverdi. Ainsi, à ma peine, la cour a perdu presque en même temps Mme de Pompadour, la reine Marie Leszczynska et le Dauphin âgé d'à peine quarante ans. Ces trois disparitions m'ont ému car ces personnes de haut rang faisaient en quelque sorte partie de ma famille. C'est pour elles que mes maîtres tiraient des fibres de mon corps les harmonies les plus belles. Le Dauphin m'avait certes un peu délaissé mais la reine Marie avait toujours eu des mots aimables à mon égard et Mme de Pompadour m'aurait reconnu entre cent violons depuis le concert à Étiolles de l'été de 1745, une des rares dates que ma mémoire a retenues. J'étais encore jeune à cette époque, et bien naïf quand je songe à tous les avatars qui m'attendaient !

À propos, les violons subissent-ils l'outrage des ans, comme les humains qui s'étiolent, s'épuisent, s'affaiblissent en vieillissant ? C'est difficile à dire. Suis-je moins bon que le jour où j'ai quitté l'atelier d'Antonio Stradivarius ? À voir l'intérêt croissant qu'on me porte, comme d'ailleurs aux autres violons anciens, je serais tenté de répondre par la négative. Mais je ne crois pas non plus qu'ils s'améliorent. Mes frères, mes cousins, mathusalems des orchestres, sont, je crois, depuis longtemps arrivés à leur point culminant et il est prodigieux qu'après avoir vu naître et disparaître autour d'eux tant de générations d'instruments, ils aient gardé la sonorité de leur jeunesse !

*

Tout cela pour dire que je me portais bien, mieux que ceux qui avaient la charge honorable de me jouer. Mondonville trépassa le premier d'une fluxion de poitrine après avoir travaillé dans la salle glaciale du Concert spirituel. Guignon le suivit de peu au paradis des virtuoses.

Quant à Louis-Gabriel Guillemain, il se suicida en 1770. On l'a retrouvé un matin baignant dans son sang, le couteau avec lequel il s'était poignardé encore planté dans le cœur.

Restait Gaviniès... qui ne me sortait pas assez souvent de mon étui à mon gré. Il avait acheté lors d'un déplacement à Rome un très beau Guarnerius del Gesù qui, disait-il, convenait mieux à son attaque d'archet. C'était la première fois que je me trouvais en concurrence avec un Guarnerius. Et cela ne sera pas la dernière. Certains virtuoses, c'est bien leur droit, aiment la profondeur du timbre d'un Guarnerius del Gesù alors que d'autres ne jurent que par les Stradivarius. Mais nous avons, nous, les enfants d'Antonio, un avantage : nous sommes les plus nombreux. Il reste aujourd'hui près de quatre cents Stradivarius jouables dans le monde alors que les Guarnerius se comptent par quelques dizaines, mais un duo des deux signatures atteint la perfection. Cela malheureusement n'arrive presque jamais. Pour moi deux fois en Angleterre, il y a bien longtemps.

Opus 4

Il s'est passé tellement de choses dans ces années que mes idées se brouillent. J'en retiens, outre la mort de mes virtuoses, celle du roi qui, je dois le dire, n'eut aucune influence sur ma destinée. Et d'autres qu'il me faut vous égrener.

*

Un jour où Gaviniès m'avait emmené chez la reine Marie-Antoinette, j'entendis parler d'un jeune musicien autrichien qui séjournait à Paris pour la troisième fois et qui était, de la bouche de tous, un génie. Je désirais le rencontrer, jouer peut-être en sa compagnie, mais je n'ai pas eu ce plaisir. Paris, qui avait autrefois accueilli avec enthousiasme le jeune prodige de huit ans, s'était désintéressé de l'artiste qui venait d'en avoir vingt-deux. Il paraît que, de son côté, Mozart ne faisait rien pour gagner le cœur des Français. Bref, le surdoué repartit vers son pays sans même avoir montré son talent à la reine.

*

Il me souvient aussi de l'apparition discrète au Concert spirituel d'un instrument nouveau, le pianoforte, qui avait l'allure d'un clavecin mais n'en était pas un. Il s'en différenciait par ses cordes frappées alors que celles du clavecin étaient pincées.

La curiosité fut grande et les gazettes commentèrent favorablement la nouvelle en remarquant l'habileté de Mlle Lechantre qui s'exerçait sur le nouveau venu. Le *Mercure* signala pourtant un défaut : le manque de volume sonore des cordes frappées. À l'en croire, harmonies et contrepoints se perdaient dans l'immense salle du Concert. Je n'ai en tout cas pas oublié cet essai de l'instrument, dont j'ai vécu les transformations jusqu'à la perfection du piano tout court.

*

Les changements d'artistes joints à des périodes d'inaction ne me convenaient pas. J'aspirais en effet à une vie régulière auprès d'un bon maître qui me soignerait, n'ommetrait pas, après le concert, de m'essuyer avec un tissu de soie et de me laisser reposer un instant avant de refermer ma boîte afin que puisse sécher l'humidité due à sa respiration. Ne croyez pas que je suis maniaque, même si je reconnais que mon séjour dans l'immonde boutique du brocanteur m'a rendu un peu pointilleux sur la question. C'est le grand Antonio Stradivarius qui m'a inculqué, comme à mes frères, ces règles d'hygiène.

Bref, ballotté d'un menton à l'autre, j'attendais un virtuose dont la réputation serait grande.

Opus 5

C elui que j'espérais surgit un jour. Tout du moins, je le croyais.

Il s'appelait Giovanni Battista Viotti et achevait à Paris une triomphale tournée qui l'avait mené en Angleterre, en Allemagne, en Pologne, en Russie où l'impératrice Catherine avait voulu le retenir à son service.

Ses débuts au Concert spirituel, en 1782, eurent un effet considérable. Son élégance et la perfection de son jeu auraient suffi à assurer son succès, mais il y ajoutait la valeur de ses compositions, lesquelles apparurent meilleures que celles jouées alors par les artistes du Concert. Il arriva avec une vingtaine de concertos pour violon susceptibles de faire oublier d'un coup les vieux maîtres et les jeunes concertistes sans envergure.

Toutes ces qualités, que j'entendis vanter chez le prince de Conti où m'emmenait parfois Gaviniès, me donnèrent grande envie d'être remarqué par le bel Italien. Je fus contrit le jour où j'appris que Viotti jouait l'un de mes frères, un Stradivarius de 1715 ! En vérité, j'avais tort car lorsqu'il apprit mon existence, l'Italien, qui ne jurait que par les Stradivarius, demanda à me voir.

*

L'entrevue eut lieu chez M. de Soubise, grand amateur de musique ayant son propre orchestre de chambre, qui avait invité Gaviniès et Viotti à interpréter une œuvre de ce dernier, une symphonie concertante pour deux violons et orchestre. D'avance je vibrais de joie à la perspective de jouer en compagnie d'un violon de mon sang.

Les deux virtuoses nous avaient posés sur leurs chaises avant le début du concert et nous eûmes donc le loisir de faire connaissance. Je me présentai et il me dit s'appeler Marie Hall, du nom d'une Allemande qui l'avait reçu en héritage et vendu à Viotti. Je le dévisageai et lui ne me quitta pas des yeux. L'idée que nous avions été conçus par le grand Stradivarius dans la même *bottega* était forte. J'imaginais ses fibres de sapin, comme les miennes, crisser d'émotion.

Notre trouble disparut quand les deux interprètes nous présentèrent aux dames-fleurs et aux messieurs galonnés d'or qui se pressaient devant les musiciens. Un signe de Viotti et la magie opéra. La musique de l'Italien était une merveille d'harmonie et d'invention, son jeu brillant et celui de Gaviniès parfait. J'y mis beaucoup du mien mais c'est lui qui tenait l'archet et me fit sonner comme jamais !

*

Ce qui se passa quelque temps après ce concert mémorable demeure pour moi un mystère. Le fait est qu'un jour, Gaviniès se dessaisit de ma personne et que je passai aux mains de Viotti.

Le changement se déroula sans drame. Les deux meilleurs virtuoses de l'époque restèrent amis, Gaviniès, simplement, ne jouant plus que son Guarnerius. Quant à mon frère, le Marie Hall de Viotti, je n'entendis plus parler de lui. Je ne le croiserai que deux siècles plus tard lors d'un concert à Liverpool.

Opus 6

La première fois où je me trouvai entre les mains de Viotti, j'eus brusquement peur : n'allais-je pas être déçu ? Le violoniste italien allait-il me traiter comme je l'espérais, en ami confiant et attentionné, ou en objet sans âme, en outil juste bon à faire valoir son talent ?

Je commençais heureusement à avoir de l'expérience. Avant même le premier coup d'archet, je fus rassuré lorsqu'il glissa l'épaisseur de ma table sous son menton. Je sentis qu'il attendait du plaisir à me jouer. Et le premier frottement sur mes cordes nous rassura, je crois, tous les deux.

*

Ce jour-là, c'était chez lui, dans une pièce tendue de vert, meublée d'une table couverte de partitions musicales, de deux fauteuils et d'un imposant lutrin sculpté, doré à l'italienne. Je revois très bien ce salon de musique où j'ai passé tant d'années heureuses. La première journée fut donc un délice et je fus vraiment content lorsque M. Viotti me rangea dans la *cassetta* neuve qu'il avait spécialement fait construire. La boîte est pour le violon un signe de prestige. On ne transporte pas un crincrin de noces villageoises dans un étui luxueux. Le mien était gainé de cuir fauve et délicatement capitonné de soie indienne. Jamais je n'avais été aussi confortablement protégé. Mon association avec l'élégant Viotti commençait sous les meilleurs auspices.

*

Je cherchai naturellement à connaître ce qu'avait été la vie de mon nouveau maître avant son arrivée en fanfare, si j'ose dire, dans le cercle musical parisien. Comme tous les Italiens, Viotti était bavard. Je n'avais qu'à l'écouter lorsqu'il racontait à Gaviniès la manière dont la marquise de Voghera l'avait engagé pour apprendre la musique à son fils Alphonse, prince de la Cisterna, jeune homme plein de morgue qui se révéla désagréable envers lui jusqu'au jour où Viotti, rentrant d'une représentation au Grand Théâtre de Rome, prit son violon et joua de mémoire devant la famille stupéfaite toute l'ouverture et les principaux motifs de l'opéra qu'on venait d'entendre. Le prince Alphonse, subjugué par la verve et la flamme de son jeune professeur, âgé comme lui de dix-huit ans, lui offrit sur-le-champ un logement au palais et finança intégralement sa formation par le célèbre Pugnani.

Je me rappelle ses mots :

— Je dois tout à Pugnani, virtuose et maître extraordinaire. C'est lui qui m'a communiqué tout l'esprit de l'école italienne de violon, son brillant, son élégance, son inspiration. C'est lui qui m'a emmené jusqu'en Russie et aujourd'hui en France. À mon grand désespoir, il est reparti hier pour Turin mais il faut bien un jour rompre les liens avec le père. Je dois maintenant voler de mes propres ailes.

Je n'ai pas oublié non plus la question que Gaviniès lui posa :

— Et ce Stradivarius auquel vous avez préféré celui que je jouais ? Qu'est-il devenu ?

Comme Viotti ne répondait pas, il poursuivit :

— Entre nous, vous avez eu raison. Coucher de soleil est beaucoup plus beau et caresse chaque note avec plus de finesse. Je le regrette parfois, mais j'ai mon Guarnerius qui, lui, m'appartient.

Et Viotti lui répondit :

— Coucher de soleil est aussi ma propriété. Je l'ai échangé aux Bâtiments du Roi contre mon Marie Hall et une douzaine de concerts chez la reine. Je ne pouvais naturellement le quitter pour un autre Stradivarius, plus parfait. Cette fois, je crois que j'aurais du mal à trouver mieux !

*

Quel bonheur d'entendre mon nouveau maître me flatter ainsi ! Je savais que j'avais, enfin, comme propriétaire en titre, un grand violoniste. C'était depuis toujours mon vœu le plus cher. Quand ce soir-là il m'enveloppa dans la soie et me coucha au creux de ma douillette *cassetta*, j'aurais bien pleuré de bonheur, mais un violon ne pleure que lorsque l'archet s'attarde sur sa chanterelle.

SIXIÈME LIVRET

Les années Viotti

Opus 1

La vie n'était pas triste. D'abord, je l'ai dit, Viotti était bavard. Quand il n'avait pas un interlocuteur à qui vanter Turin, parler de l'Allemagne, évoquer la Russie ou, tout simplement, raconter le concerto qu'il avait composé dans la nuit et dont il fredonnait les motifs, il disait quelques mots à son violon, ce dont je me réjouissais. Souvent, il me prenait de sa main légère et jouait doucement, mais dans le rythme, quelques mesures qu'il répétait deux ou trois fois avant de me prendre à témoin :

— Qu'en dis-tu, mon violon ? Ce n'est pas mal, non ?

C'était très bien et je m'amusais de retrouver ce passage quelques jours plus tard dans un nouveau concerto composé pour Marie-Antoinette ou pour le prince de Rohan-Guéménée qui rémunérait cher son talent.

*

Les apparitions de Viotti au Concert spirituel constituaient toujours un événement. Les places étaient retenues à l'avance et nous y remportions chaque fois un grand succès. Viotti n'aimait pas particulièrement l'endroit mais c'était le seul où l'on pouvait jouer devant un vaste auditoire. Avec lui, je goûtais la fierté d'avoir retrouvé ma popularité, mon maître n'hésitant jamais à me montrer à bout de bras en saluant, comme s'il disait : « Mon violon mérite de partager vos ovations, applaudissez-le. » Et les gazetiers qui rendaient compte des spectacles écrivaient souvent : « Viotti et son Stradivarius ont été une fois de plus remarquables. » Dès lors, je frétillais comme un poisson dans l'océan des sons, flatté de mon succès mais essayant de ne pas paraître arrogant envers mes camarades de l'orchestre.

*

Le public comptait parfois, hélas, des amateurs sans éducation musicale, irrespectueux et capricieux.

Ce fut le cas un jour de la semaine sainte où la salle des Tuileries, peu garnie, se montra d'une froideur désobligeante. Le lendemain, il y eut en revanche beaucoup de monde et Balaveni, modeste violoniste, enthousiasma la foule avec des airs vulgaires. L'apprenant, Viotti en fut mortifié et décida qu'il ne paraîtrait plus au Concert spirituel.

— Mon cher violon, ce public est trop stupide ! me dit-il.

En effet, nous ne fréquentâmes plus la salle de Tuileries et jouâmes uniquement dans des réunions privées. Ce changement ne me déplut pas. On arrivait en hiver et j'avais toujours la crainte que l'épicéa de ma table et mon vernis ne pâtissent du froid qui régnait dans la salle.

*

L'aura de mon maître ne souffrit aucunement de cette absence. Son renom s'étendit au contraire en Europe avec la publication de ses concertos et la destinée lui offrit l'occasion de montrer son habileté à diriger des musiciens.

Et puis, un jour, la place de chef d'orchestre du concert de l'hôtel de Soubise, le plus prisé du royaume avec celui du prince de Conti, se trouva vacante. Viotti fit acte de candidature et fut finalement préféré à Isidore Bertheaume, que mon maître considérait pourtant comme l'un des meilleurs violonistes de son temps mais qui dut se contenter du poste de premier violon.

Suivant mon virtuose comme son ombre dans mon étui de cuir fauve, je ne fréquentai plus pendant un long moment que d'illustres compagnies. La reine Marie-Antoinette, qui aimait beaucoup la musique, ne voulant pas paraître céder la place aux princes et aux ducs, se déclara protectrice de Giovanni Battista Viotti et créa pour lui le titre d'« accompagnateur de la reine » assorti d'une pension de six mille livres !

C'était une belle somme mais Viotti, généreux et dépensier, se disait quand même parfois à court d'argent. Il lui arriva une fois d'ajouter : « Si j'étais obligé de te vendre, j'en serais fort malheureux. » Cela ne me plut guère et je regrettai de ne pouvoir lui rétorquer qu'il gagnait beaucoup et qu'il ne tenait qu'à lui de ne pas tout dilapider. J'ai cependant réussi à montrer ma désapprobation en tendant violemment ma corde de *la* durant un vibrato. Un moyen sûr de désorienter le meilleur violoniste ! Un jour où il avait joué à Versailles à la partie de la reine et perdu une forte somme, je me suis aussi emporté en lui faisant sauter la chanterelle à la figure. J'ai aussitôt regretté ce geste indigne d'un violon de classe mais nous avons aussi le droit, après tout, de piquer une colère ! Les humains n'ont rien à nous reprocher à ce sujet !

*

Bon ! Maintenant, il faut avouer que Viotti était un maître agréable, qu'il me soignait avec délicatesse, ne lésinait pas sur une consultation chez le luthier et, surtout, me procurait des sensations musicales que je n'avais plus éprouvées depuis M. Bach. Que voulez-vous, la vie quotidienne d'un violon est une suite de coups d'archet et de pressions sur les cordes. Elle peut être magnifique si ces gestes sont inspirés et douloureuse s'ils s'avèrent brutaux et désordonnés. Et aujourd'hui, s'il est rare qu'un violoniste fasse figurer un concerto de Viotti à son répertoire, son nom reste attaché à l'histoire de la musique. Aussi, du fond du cœur, je lui dis :

— Merci, monsieur Viotti !

Opus 2

Mon maître menait à Paris la vie dont il avait toujours rêvé lors de ses années d'apprentissage en Italie du Nord comme pendant ses voyages en compagnie de Pugnani. Il jouissait du plus haut statut social que puisse espérer un musicien, se voyait sollicité de toutes parts, était protégé par la reine, ce qui ne représentait pas seulement un honneur. Son goût des longs voyages semblait même passé, apaisement qui me convenait, à moi qui n'avais guère envie d'être trimballé comme un vulgaire colis sur les routes caillouteuses de contrées aux climats extrêmes. Pour être franc, si j'avais été un humain, on m'aurait assurément traité d'hypocondriaque. J'avais, il est vrai, toujours peur qu'un événement extérieur ne vienne perturber ma nature fragile. Mon prix, une fortune, me valait d'être entouré des soins les plus vigilants mais il existe partout des fous qui vous fendraient la caisse comme une bûche, des bandits de grands chemins qui vous dérobent sans connaître les soins nécessaires à votre survie, des malles-poste qui perdent une roue et vous font sombrer dans la boue... Et encore, à l'époque, je n'avais pas connu le pire : la Révolution !

Enfin, même avec la peur au ventre, je menais une existence passionnante baignée de musique en compagnie d'un maître charmant.

*

Viotti pourtant, malgré son apparent calme et comme beaucoup d'artistes, demeurait un instable. Alors que ses admirateurs, dans le grand public comme au sein de la fine fleur du royaume, assuraient sa richesse et sa renommée, il se mit un jour en tête de diriger un théâtre. L'Opéra de Paris étant pourvu, il s'acoquina avec un certain Leonardo pour monter un théâtre d'opéra italien. L'entreprise lui coûta une bonne partie de sa fortune et le détourna, hélas, de la carrière de virtuose qui était sienne. Il engagea sans attendre les meilleures voix italiennes comme Mandini, Viganoni, Raffanelli, la signora Morichelli et la fameuse Banti, qui tous venaient de triompher à Naples dans les opéras bouffes de Cimarosa. Des timbres superbes, mais coûteux !

Pour l'avoir approchée, la Banti surpassait les autres d'une tête et d'un registre. Il n'y avait pas à dire, elle était radieuse. Un peu ronde peut-être, mais de stature imposante, dotée d'une gorge sonnant plus fort que dix Stradivarius ! Si le signor Leonardo, l'associé de mon maître, m'avait tout de suite été antipathique, je détestai franchement la Banti. J'avais mes raisons. D'une part, Viotti m'avait presque abandonné depuis qu'il s'occupait de ses oiseaux chanteurs italiens et, d'autre part, il s'était tellement entiché de la « grosse », comme je l'appelais, qu'il en perdait tout jugement. Je l'entendis affirmer qu'elle était une soprano extraordinaire alors que, moi, elle me cassait les oreilles. J'enrageais contre lui quand il me

laissait posé sur la table du salon de musique où elle voca-
lisait à longueur de journée.

Car elle habitait la maison ! Et Viotti la traitait comme
une princesse. Je n'étais pas avec eux durant la nuit mais
je savais qu'ils couchaient dans le grand lit à sculptures
dorées que mon maître avait jadis acheté à Venise. Il l'appelait « le lit du doge ». Je n'ai jamais su qui était ce doge
mais le meuble était à coup sûr le lit de la Banti !

Comme pour mieux se consacrer à sa nouvelle occupa-
tion, et à sa bien-aimée napolitaine, Viotti avait délaissé
ses plus fidèles clients et protecteurs. Je bénis donc sans
honte le jour où mon maître surprit la Banti dans les bras
du ténor Viganoni. Cette scène, à mon grand étonnement,
ne le mit pas en colère. Mais il ferma sur-le-champ le
théâtre et chassa tous les Italiens. Je subodore qu'au fond
de lui, il était aussi soulagé que moi !

Opus 3

Afin d'oublier cet épisode fâcheux, M. Viotti décida un jour de revoir sa famille, son vieux père surtout dont il parlait avec un tendre respect. Dans la mesure où il n'était pas question de me laisser à Versailles, même entre les mains de sa fidèle soubrette Emma que j'appréciais bien mais qui avait les doigts gras, je fus du périple. À ma grande satisfaction.

*

La diligence de Lyon nous emmena donc un jour de mai vers le Sud. Le voyage me laissa surtout le souvenir d'interminables et cahoteuses journées enfermé dans ma boîte. Heureusement, Viotti ne pouvant se passer de violon me jouait le soir dans sa chambre. Il arriva même une fois que des hôtes de qualité descendus à l'auberge le prient d'interpréter une sonate. Flatté, content d'avoir un auditoire, mon maître accepta et donna dans la grande salle commune, où flottaient des exhalaisons d'oie rôtie, le plus étrange de ses concerts. En dehors de la famille d'un châtelain du Dijonnais, aucun des voyageurs, gens simples, ouvriers ou marchands, n'avait de connaissance musicale. Pourtant, et ce fait marqua profondément mon maître, tous posèrent leurs couverts pour écouter dans le plus grand silence son *Concerto en sol mineur n° 12.*

— Tu vois, me dit-il en remontant dans notre chambre, nous ne jouons pas pour les gens qui le méritent !

*

Après avoir changé je ne sais combien de fois de voiture, nous arrivâmes à Turin puis à Fontanello da Po, le village natal de mon maître où son père, Vittorio, avait toute sa vie été forgeron. Il venait d'abandonner le marteau et l'enclume et cultivait son jardin quand il n'avait pas la flûte au bec. Viotti pleura en le retrouvant en train de jouer une vieille ballade de Forzzi, l'un de ses morceaux d'étude lorsqu'il avait reçu à six ans son premier petit violon. Le forgeron, bon musicien amateur, avait vite remarqué les dons exceptionnels de Giovanni Battista. C'est même lui qui l'avait envoyé à Turin où Alfonso del Pozzo, prince de la Cisterna, l'avait protégé et mis entre les mains expertes de Pugnani.

Le père et le fils, heureux de se retrouver, passèrent de longues heures à bavarder. Le vieux n'avait pas grand-chose à dire mais il ne se lassait pas d'écouter Giovanni Battista évoquer ses voyages et sa vie à la cour de France. Et puis, vers la fin de la journée, mon maître joua pour son père. Ce fut un moment inoubliable auquel je suis heureux d'avoir été mêlé. Un moment qui se répéta chaque soir de ce séjour. Le grand Viotti, célébré dans l'Europe entière, ne fut jamais aussi bon, je peux en témoigner, qu'en ces nuits d'été sous le noyer du jardin.

*

Chaque jour réservait des surprises. Ainsi on récupéra, au grenier, le violon à la taille d'un enfant de six ans sur lequel mon maître fit ses premières armes, puis les portées jaunies où Giovanni Battista traçait ses premières notes. Fut encore déniché dans un tiroir un pantin de carton qui jouait du violon. Mais ces souvenirs n'étaient rien à côté de l'idée jaillie en Viotti par un bel après-midi d'émotion : composer un divertissement pour violon et flûte. Le père et le fils renouèrent une belle complicité et répétèrent long-temps avant de jouer ce morceau au cours d'une fête où tout le village fut convié. À la dernière note, le forgeron et le musicien de la reine de France étaient en larmes. Moi, je tressaillais de bonheur.

*

Vittorio, veuf depuis des années, vivait dans la maison de sa sœur, une modeste chaumière que mon maître jugea indigne de la famille du grand Viotti. Il acheta sur-le-champ une propriété à Salussolia, charmant village proche de Fontanello, pour y établir son père, son oncle et sa tante. L'émotion fut intense là encore.

Mais il fallut bien un jour rentrer à Versailles où Marie-Antoinette s'impatientait. Mon maître, comme beaucoup d'artistes, avait la corde sensible et la larme facile. Il avait pleuré en retrouvant son père, il pleura en le quittant. Savait-il qu'il ne reviendrait jamais en Italie ? Sa tristesse en tout cas me frappa quand l'horrible patache qui devait nous ramener à Turin quitta Fontanello dans un nuage de poussière.

Opus 4

La campagne c'est bien joli, mais le grand soleil, infortune du vernis, et les guêpes, ennemies de la peau du virtuose, finissent par lasser. Le violon et son maître ne cachèrent donc pas leur plaisir de revenir à Versailles, avec ses ors, ses allées de bouleaux et ses peuples de statues, encore que ces glaciales représentations en marbre me paraissent finalement assez ridicules. Une inquiétude taraudait cependant Viotti : les logements sont si disputés à Versailles qu'il redoutait de trouver le sien occupé par quelque courtisan. Mais Emma avait veillé. Il eût d'ailleurs été bien téméraire d'oser s'emparer de l'appartement donné par la reine à son protégé !

*

Sitôt arrivé, Viotti eut la délicate attention de me sortir de ma *cassetta* pour me laisser respirer, le temps lui-même de se défaire de son vêtement de voyage et d'enfiler la redingote de soie grège qui lui va si bien.

— Violon, dit-il en me remettant en boîte, allons de ce pas jusqu'aux appartements de la reine pour lui demander si elle souhaite écouter ce soir son virtuose préféré.

Marie-Antoinette n'était pas au château mais dans sa bergerie. La bergerie, le hameau, le moulin ! Les souvenirs surgissent en sarabande dans mes tréfonds quand je songe à cette époque. Il y avait d'abord le Petit Trianon construit par le roi Louis XV où logeaient la reine et ses invités. Je me souviens surtout du grand salon aux murs décorés de fleurs des champs en guirlandes et de scènes enfantines. Là, la reine s'asseyait devant son clavecin et jouait, en attendant l'heure du dîner, une musique de Mozart ou de Grétry. Parfois M. de Polastron ou M. de Guinès, qui l'avaient initiée à la musique à Postdam, l'accompagnaient. Plus tard dans la soirée, les jours où mon maître avait été prié, c'était lui qui officiait. Jouer pour Marie-Antoinette constituait déjà ma fierté, mais jouer avec elle, glisser les phrasés de Viotti entre les frappes légères de son clavecin, me comblaient. J'entends d'ailleurs encore nos accords résonner entre les murs vert d'eau très pâle du grand salon.

Il y avait pourtant une autre musique, plus simple, que je préférais, celle qu'on jouait par beau temps au Hameau tandis que la reine et ses amies s'amusaient dans la laiterie à aider la fermière à faire de leurs mains le beurre et le fromage. Ces jours-là, Viotti improvisait en avançant le pied léger dans les allées fleuries et magnifiait avec ses arabesques, ses fantaisies et ses guirlandes gracieuses, ces moments piquants où Marie-Antoinette, fatiguée de sa cour, partageait le goût de son temps pour la nature et la vie rustique. Il ne reste hélas rien de cette musique éphémère car, autant que puisse en juger un violon, elle était merveilleuse, légère, pétillante et aurait mérité d'être conservée avec les autres œuvres du maître.

Opus 5

À la même époque, Viotti organisa chez lui des matinées de quatuor. J'ai compris que son but était double : il voulait entraîner ses élèves au jeu collectif et, en même temps, essayer ses concertos avec un orchestre réduit. Dès lors, du sixième au quatorzième concerto, aucun ne se vit joué en concert public, mon maître ne les faisant entendre que dans des réunions privées, chez les grands du royaume. Ce fut pareil pour ses deux symphonies concertantes pour deux violons qu'il interpréta au concert du prince de Conti. À quoi tenait cette discrétion inhabituelle ?

Alors je m'aperçus que le sourire de la reine perdait son éclat et que le regard du roi s'embuait lorsqu'il écoutait mon maître jouer Corelli. Qu'arrivait-il ? Peu à peu, je compris que des événements sombres se tramaient. J'eus un début d'explication quand j'entendis dire autour de moi que la France était en révolution ! Le mot m'effraya. Et ses répercussions aussi. L'atmosphère devenait pesante, frileuse, la musique n'avait plus droit de cité. Les princes remerciaient leurs musiciens et nous-même ne prenions presque plus le chemin de Versailles. Nous ne nous y trouvions pas heureusement lorsque, le 6 octobre 1789, le peuple affamé envahit le château et ramena le roi à Paris en compagnie de la reine et du Dauphin. La suite des soubresauts et rebondissements fut si rapide, si embrouillée, si intense même que je ne compris plus rien.

*

Il n'était en tout cas plus question de concerts chez la reine, de promenades musicales au Hameau. Je me rappelle avoir entendu mon maître dire à Emma qui voulait retourner dans son Berry :

— Attends encore un peu, mais il est bien possible qu'il faille partir un jour prochain : le sang coule à Paris !

Les violons n'ont pas de sang, à peine un peu de sève séchée dans leurs fibres, il n'empêche que l'image me glaça d'horreur.

L'existence de virtuose, longtemps confortable, devenait dès lors impossible. La bonne et illustre compagnie qui constituait la clientèle de Viotti se cachait, était en prison ou fuyait hors du royaume. Qu'allions-nous devenir ?

*

Un jour, après avoir joué quelques mesures d'un morceau improvisé et triste, mon maître me regarda un moment. Puis il m'enveloppa avec plus de soin que de coutume avant de me caler dans mon écrin, la larme à l'œil.

Comme il ne ferma pas tout de suite le couvercle, je le vis ranger dans une malle les partitions qui traînaient un peu partout dans le salon de musique. Par la porte entr'ouverte de sa chambre, j'observai aussi Emma qui entassait dans un coffre, en gémissant, le linge et les vêtements du maître. Je compris à cet instant que nous quittions l'appartement douillet du Château pour partir vers une destination qui m'était inconnue.

Je tremblai dans mon lange de soie en pensant aux tribulations qui nous attendaient et fus plutôt rassuré en comprenant que nous allions en Angleterre, dont je conservais un bon souvenir. Je ne craignais pas la traversée, sachant que l'état de la mer n'avait aucune conséquence pour ma constitution. Je trouvais même que la houle rythmait en moi une agréable musique, à la différence des cahots de la route qui me faisaient frémir.

*

Mon maître était à peu près ruiné quand nous débarquâmes en Angleterre. J'eus alors très peur qu'il fût contraint de me vendre pour subsister. Mais il préféra, à mon soulagement, me garder et gagner sa vie en donnant des concerts. Malgré le temps passé, les amateurs de musique n'avaient pas oublié mes fameux duos. Si Haendel était mort depuis longtemps, il restait pour les Anglais une gloire nationale que Viotti réveilla en jouant ses œuvres sur la scène de Hanover Square, un beau théâtre qui portait, je l'entendis dire à mon maître, le nom d'une province allemande gouvernée par l'Angleterre. L'établissement était dirigé par sir Salomon, un très bon musicien heureux d'accueillir un maître comme Viotti. Je ne me rappelle plus combien de temps nous restâmes à Londres, mais je m'y plus. Viotti composa de nouveaux concertos et tandis que la France devenait le décor d'une Terreur sanglante, nous coulâmes des jours tranquilles.

SEPTIÈME LIVRET

Monsieur Dragonetti

Opus 1

La vie redevint à cette époque très agréable. Mon maître apprécia à nouveau le bonheur d'être considéré, sollicité par la meilleure société. Nous logions dans une belle maison, tout près d'un grand parc où se promenaient des gens de toutes sortes, simples ou vêtus de superbes habits.

*

Je me rappelle le jour où Viotti eut l'idée de m'y conduire.

— Il fait beau ce matin, me dit-il, nous allons jouer à l'ombre de ces grands arbres qu'on nomme sycomores et dont certains luthiers tirent des fonds de violons.

Il n'y avait pas de sycomores mais un chêne fit l'affaire. Le maître posa ma boîte sur l'herbe fraîche et commença par un morceau de Bach qui réveilla en moi de doux souvenirs, puisque c'était un concerto écrit au château de Kothen. La puissance de mon son alerta en tout cas les promeneurs. Et bientôt, un véritable auditoire se forma autour de nous. Viotti, ravi, en remerciant tous ces gens de leurs applaudissements, attira l'attention sur moi :

— Mon violon a joué une chacone de monsieur Jean-Sébastien Bach.

Un homme déjà âgé, vêtu d'une redingote verte à l'allemande, s'approcha alors et déclara :

— Permettez-moi, monsieur, de vous féliciter. Je pense que vous êtes Jean-Baptiste Viotti. Nous n'avons pas encore été présentés mais il n'y a que vous à Londres pour jouer Bach de cette manière. Moi, j'arrive de Vienne et je me promenais quand j'ai entendu chanter votre violon. Mon nom est Joseph Haydn.

Il s'agissait, je l'appris bientôt, d'un grand compositeur autrichien venu donner à Londres une série de concerts. Il devait être durant son séjour un grand ami de mon maître. Tous deux jouèrent d'ailleurs plusieurs fois ensemble, Haydn au clavier, dans la grande salle du Hanover Square Rooms. À l'époque, Viotti fréquenta une autre célébrité : un poète, un écrivain appelé Walter Scott.

Opus 2

Le bon temps dura trois ans. Et puis mon maître, contraint de fuir la France à cause des relations privilégiées qu'il entretenait avec la famille royale, se vit soudainement accusé de sympathies jacobines et même traité d'espion par certains nobles émigrés. Ces derniers, experts dans les cabales et conspirations, l'entourèrent d'une réprobation insultante et pressèrent le gouvernement britannique de le chasser hors d'Angleterre. Ce qui advint.

*

M. Viotti dut encore faire ses malles. Pis, cette fois il ne m'emmena pas. Entre nous, aucune séparation douloureuse puisque, sans doute parce qu'il avait honte de m'avoir vendu, il ne me gratifia pas d'un adieu. Quand je le compris, un pan de ma vie de violon s'écroula.

Et j'ai même oublié ce qu'il m'arriva dans la période qui suivit. Je sais seulement que je fus très malheureux, éloigné à nouveau de la noble musique pour laquelle j'ai été conçu. J'ai seulement appris bien plus tard qu'après notre séparation, Viotti s'était réfugié en Germanie, près de Hambourg, avant de revenir à Paris pour devenir directeur de l'Opéra, puis de finir son existence à Londres.

De mon côté, j'étais passé, sans jamais être joué par un virtuose digne de moi, entre les mains de collectionneurs, dont le duc de Paddington. Aucun d'entre eux ne me maltraita mais je fus réduit au rôle de curiosité qu'on aimait montrer. Cette situation m'aurait affecté au temps de ma jeunesse mais, ayant appris à faire le dos rond, à laisser sommeiller mes éclisses, bref à patienter quand – c'est le lot de tout violon – les humains dédaignent ses vertus, je pris mon mal en patience. Quelqu'un allait bien, un jour, savoir me faire chanter comme je le méritais.

Opus 3

Rien de cette époque n'a donc eu une grande importance pour moi. Et ce jusqu'au moment où quelqu'un a doucement soulevé le couvercle de ma
cassetta. Un visage s'est alors penché sur moi : celui d'un
homme encore jeune, aux traits fins, à la bouche sensuelle,
que Viotti avait naguère fréquenté et que je reconnus. Il
jouait du violon mais était universellement connu comme
un virtuose de la contrebasse. Il portait le beau nom de
Domenico Dragonetti.

Ces grands yeux noirs où je percevais de la curiosité et
de l'admiration me rappelèrent que Dragonetti, Vénitien
menant une brillante carrière à Londres, avait joué avec
mon maître, sur sa contrebasse, la partie du deuxième violon dans les duos pour violons que Viotti avait composés.
L'événement était assez inattendu pour me rester en
mémoire. Et ressurgir en ce jour béni des dieux de la
musique.

*

La vie chez M. Dragonetti fut tout de suite paisible et
agréable. Il habitait une belle maison ouvrant sur un parc,

151

comme naguère celle de M. Viotti bien qu'il ne s'agisse point du même jardin. J'avais d'ailleurs l'impression que Londres se résumait à un vaste domaine boisé constellé d'habitations, tant cette ville regorge d'une verdure qui n'est pas pour me déplaire.

J'ai connu de nombreux cabinets de musique depuis celui du château de Kothen, mais aucun ne s'avérait comparable au salon bleu et or de M. Dragonetti. En dehors de l'inévitable pupitre sculpté de harpes, de trompettes et de violes, trois des quatre murs étaient garnis de vitrines où reposaient, sur un molleton de velours rouge, une vingtaine de violons rangés comme à la parade.

À mon arrivée, le maître ôta un superbe alto qui sentait son Crémone à dix pas et m'installa à sa place. Je connus sans attendre la raison de ce chassé-croisé : tout près de moi brillait en effet, tel un astre, l'un de mes frères de sang. Je l'identifiai immédiatement par son fond d'érable, d'une grande beauté, régulièrement ondé au même titre que ses éclisses. La table en deux pièces d'épicéa aux veines très serrées portait aussi la marque de la *bottega* paternelle. Le doute n'était pas possible. M. Dragonetti, contrebassiste génial et collectionneur passionné, possédait désormais deux Stradivarius de bon aloi. Je demandai à mon voisin son nom. Il me répondit avec mesure et douceur qu'on l'appelait comme son maître : le Dragonetti.

Par hasard, je viens d'apprendre récemment que mon frère a gardé son appellation et après avoir fait la fierté d'un grand collectionneur de Zurich, est joué actuellement par le jeune virtuose allemand Franz-Peter Zimmermann.

*

Mais revenons à notre *tempo primo*. Notre rencontre chez le bon M. Dragonetti marque le début d'une longue et fraternelle affection, plus forte que celle qui m'avait rapproché à Londres du Stradivarius de Haendel. Une attention réciproque qui nous faisait observer avec curiosité et intérêt nos autres compagnons de collection.

Car bien d'autres instruments de qualité garnissaient les vitrines. Le vaste cabinet de musique eût ainsi paru vide sans les deux contrebasses pansues qui montaient la garde, gravement adossées au quatrième mur. Or, la contrebasse m'intriguait. Utilisée depuis assez longtemps dans les concerts où sa masse écrasait l'orchestre, elle avait conquis depuis peu le privilège d'être jouée seule, grâce justement à Domenico Dragonetti qui pratiquait en virtuose ce corpulent violon, montrant une agilité prodigieuse à l'archet comme au pizzicato.

Si le maître nous jouait le matin en alternance, c'est à la contrebasse qu'il consacrait la majeure partie de son temps. Alors, allongés sur nos coussins, nous nagions dans un univers baroque qui nous assourdissait mais nous comblait pareillement quand il manipulait cet instrument de belle stature aussi vivement qu'un violoniste son violon. La silhouette mince et élégante de notre maître semblait danser avec sa contrebasse qu'il éloignait, rapprochait, contournait et dont il tirait des notes graves ou aiguës stupéfiantes. Un ballet fascinant à voir, mais à mes ouïes peu mélodieux.

Opus 4

Le Dragonetti était un compagnon aimable. Aussi curieux qu'attentionné et attentif. Je lui racontai volontiers ma vie tourmentée. L'aventure chez le brocanteur le passionna. Il me posa en outre mille questions sur mes maîtres successifs et me confia ses regrets de n'avoir, de son côté, connu qu'une existence calme, trop calme même, lui qui n'avait pratiquement appartenu qu'à des collectionneurs.

Son premier propriétaire avait été un personnage étonnant dont Drago, comme je le baptisai familièrement, parlait toujours avec respect. C'était le comte Cozio di Salabue, grand aristocrate du Piémont fou de l'œuvre d'Antonio Stradivarius. Après la mort de mon père, celui-ci avait acheté à son fils cadet Paolo toute la collection de ses outils, modèles, formes et gabarits ainsi que les derniers instruments sortis de la *bottega* familiale. Parmi ceux-ci se trouvait un violon de 1706 qu'Antonio n'avait jamais voulu vendre tellement il le trouvait réussi. C'était évidemment mon cher voisin.

*

154

Le frère était aussi bavard que moi. Quand il se mettait à parler de son passé, rien ne pouvait l'arrêter. Je n'en éprouvais que du plaisir tant nos histoires étaient différentes. Il avait connu le monde des collectionneurs, moi celui des virtuoses. Il conservait d'ailleurs de son premier propriétaire un souvenir ému, puisque je l'entends encore me conter l'arrivée chez le comte Cozio di Salabue des deux coffres contenant le trésor de Stradivarius :

— Le comte déballa d'abord les outils pour les aligner sur une longue table de chasse. Saisi par l'émotion, il aligna sur le marbre les gouges dont les manches étaient marqués des initiales A. S., puis les compas, les canifs, les rabots dont le plus petit, la « noisette », n'était pas plus gros que l'ongle du pouce. Et la « pointe aux âmes », cette aiguille courbe dont Stradivarius s'était servi durant plus de soixante ans pour glisser la petite et divine cheville entre la table et le fond. Ensuite, mon maître avait ouvert la caisse des modèles, des formes découpées dans du papier ou du carton, des feuilles couvertes de dessins et de calculs, des serre-éclisses et de tant d'autres choses qui témoignaient du travail de toute une vie et du génie qui lui avait permis de trouver la structure idéale du violon.

— Et toi, pendant ce temps, tu sommeillais encore dans la malle ? lui demandai-je.

— Rassure-toi, mon tour vint bientôt d'être rendu à la lumière. « C'est pour moi un moment de grand bonheur ! » s'écria d'ailleurs Cozio en me tenant dans ses bras comme un bébé. Dès lors, il ne parla plus de moi qu'en me proclamant le plus beau violon du monde. Il ne jouait pas très bien mais chérissait les violons. Aussi il me soignait, me nettoyait, me dorlotait. J'ai passé en la compagnie de cet homme aimable et fou de Stradivarius des moments on ne peut plus plaisants. Il m'a seulement manqué d'être joué par un grand violoniste, digne de notre famille. Ce n'est hélas pas encore le cas avec Dragonetti, qui joue fort bien du violoncelle et banalement du violon ! Vois-tu, c'est toi, Coucher de soleil, qui as eu le plus de chance !

Je fis alors remarquer à mon frère que la vie d'un violon étant éternelle, l'artiste qui ferait vibrer son âme ne manquerait pas d'arriver un jour. Une prédiction qui me fit penser qu'aucun grand violoniste ne m'avait tenu sous son menton depuis longtemps, les séances du matin avec M. Dragonetti relevant selon moi des exercices d'un niveau inférieur loin de mes aptitudes. Je devais pourtant convenir que cette petite frustration ne m'autorisait pas à regretter de ne pas être une contrebasse !

Opus 5

C'est à croire que notre appétit de virtuosité avait été entendu. Un après-midi, alors que Dragonetti sabrait sa contrebasse de larges coups d'archet et que nous devisions, mon frère et moi, de la raison qui pousse les humains à déclarer que tel instrument est ou pas un « grand violon », le valet dont la tenue vert acide faisait grincer nos chanterelles vint interrompre le maître. Ce qu'il lui expliqua devait être important car M. Dragonetti posa tout de suite sa contrebasse contre le mur et sortit du salon. Surprise : quand il réapparut, il tenait le bras d'un revenant, Viotti en personne !

*

Pour nous, violons, le temps ne se mesure pas. Ce que les hommes appellent des heures, des mois, des années n'a aucun sens dans notre existence. En revanche, nous constatons le vieillissement des êtres qui nous entourent. Ainsi, le visage de mon ancien maître Viotti me parut plus ridé, ses cheveux plus gris et son maintien, que je me rappelais droit comme un arbre à violons, un peu voûté. Cela dit, le sourire narquois, les yeux en amande, les mains fines et longues que je lui avais connus étaient toujours là.

Si j'avais pu, je lui aurais sauté au cou mais c'est lui qui, à peine entré dans le cabinet de musique, tendit son bras dans ma direction et s'écria :

— Coucher de soleil, mon beau violon !

Dragonetti sourit de cette flamme soudain rallumée.

— Mon ami, répondit-il, le violon sur lequel vous avez joué tant de merveilles a reçu tous mes soins depuis que je l'ai racheté. J'en tire quelques notes le matin pour l'empêcher de dépérir, de perdre accord et sonorité, mais vous seriez plus efficace si vous acceptiez de lui administrer une cure de santé en le jouant de temps à autre.

Viotti écoutait en me regardant et je crus remarquer que ses yeux s'embuaient de larmes. Je l'aurais imité si je l'avais pu, étant à la fois ému et fou de joie à la pensée de retrouver, ne fût-ce que l'espace de quelques répétitions et d'un concert, celui qui avait su tirer de ma carcasse crémonaise le summum des qualités qu'on puisse attendre d'un violon.

— Merci, cher monsieur Dragonetti, bredouilla Viotti. Coucher de soleil n'est pas un instrument qu'on prête aisément et je vous suis d'autant plus reconnaissant de me permettre de jouir un moment de son excellence.

*

Ces assauts d'amabilité me comblaient mais un coup d'œil vers mon frère me montra que Drago avait l'ouïe chagrine. Il avait, je l'admets, des raisons d'être jaloux et sa peine ternissait mon plaisir. Heureusement, une phrase de notre maître le rassura :

— Vous n'avez d'yeux, mon cher, que pour Coucher de soleil, mais regardez son voisin : un Stradivarius de 1706 typique du début de l'âge d'or du maître. Il est magnifique, sonne merveilleusement et n'a qu'un défaut : celui de n'avoir pas été assez joué. J'aimerais que vous l'essayiez.

Je jetai un regard complice à mon frère qui s'était mis à frétiller de la chanterelle. Un virtuose, et pas n'importe lequel, allait enfin frotter ses cordes sevrées de talent.

— Ne croyez pas, monsieur Dragonetti, que l'émotion de retrouver mon bon vieux violon m'a empêché de reconnaître dans votre vitrine le Stradivarius à la table ondoyante. Il est admirable et j'ai hâte de le jouer. Tenez, prêtez-moi l'un de vos archets.

Il retira lui-même Drago de son écrin de velours et l'accorda en pinçant ses cordes et en agissant sur le chevillier. Ce n'était rien, que des notes fusant dans l'air sous le pouce de Viotti, mais il n'était point besoin d'être un expert pour y déceler une exceptionnelle sonorité. J'étais moi-même troublé à la pensée que j'allais enfin découvrir la nature profonde de mon frère. Et je fus bouleversé quand Viotti entama la *Partita n° 3* de Bach, l'un des morceaux pour violon seul que le maître avait composé au château de Kothen et qu'il avait joué pour la première fois sur mes cordes. À la réminiscence de ce grand moment s'ajouta une extraordinaire impression de puissance et d'élégance. Drago exprimait une qualité sonore différente de la mienne. Si l'on y discernait la marque du père, le timbre se montrait différent : il sonnait mieux dans les clairs. En somme il démontrait une fois encore que le grand Antonio n'avait jamais élaboré deux fois le même instrument. Moi seul pouvais distinguer les disparités qui perçaient entre Bach interprété avec moi et Bach exécuté par Viotti sur le Dragonetti, mais ces nuances dans la perfection confirmaient que Jean-Sébastien Bach et Antonio Stradivarius étaient des génies.

*

Mon frère et moi étions aux anges quand notre bienveil-
lant propriétaire me tendit à Viotti :

— Maintenant, jouez Coucher de soleil que je compare
les qualités de mes deux merveilles.

Je retrouvai dans l'instant mes sensations. Ce fut même
comme si Viotti m'avait joué la veille. Sa main gauche
pressait mon manche de la même façon qu'autrefois et les
doigts de sa droite maniaient l'archet avec tant de subtilité
que ce dernier établissait un contact sensoriel perçu jusqu'au plus profond de mon intérieur. D'emblée nous
avions retrouvé la connivence, renoué avec la fusion, réuni
le couple qui avait à tant de reprises suscité l'enthousiasme. Curieusement, j'ai oublié l'œuvre qu'il me fit jouer
ce jour-là, tant mes souvenirs demeurent fixés sur cette
renaissance qui signa un moment essentiel de ma vie.

Opus 6

Durant cette période que je trouvai trop courte, M. Dragonetti nous prêta à Viotti, lequel avait retrouvé la confiance et l'admiration des Anglais, les suspicions ridicules qui lui avaient fait quitter le Royaume étant oubliées au profit de la beauté retrouvée de sa musique.

Souvent le propriétaire et le virtuose se produisaient dans des concertos empruntés à Haydn ou composés par Viotti. J'ai en mémoire un de ces duos contrebasse-violon donné au King's Theatre. Dragonetti et mon ancien maître se déchaînèrent à s'emmêler les archets avec une telle fougue qu'en me reposant tout en sueur, Viotti me dit :

— Mon violon, personne ne pourra jamais rejouer ce morceau. Derrière sa contrebasse, Dragonetti est immatériel. Sa musique est impraticable pour tout autre que lui !

*

M. Dragonetti venait justement d'acquérir, non pour la jouer car elle était gigantesque mais pour sa collection, une contrebasse de Gasparo da Salo, l'un des premiers grands luthiers d'Italie qu'on avait longtemps cru l'inventeur du violon. Il lui arrivait de faire vibrer ce monstre dans le salon de musique mais son transport dans une salle de concert aurait été trop compliqué. Elle n'avait d'ailleurs pas une sonorité exceptionnelle et faisait plutôt partie, comme beaucoup d'entre nous, des curiosités que notre collectionneur adorait présenter à ses visiteurs.

Ces hôtes qui nous avaient d'abord flattés finissaient peu à peu par nous agacer. Heureusement, nous étions protégés derrière notre vitrine et l'on pouvait nous regarder sans nous toucher. Le pire, c'était lorsque des personnages importants, des princes ou des riches banquiers étrangers, ignorant tout de la musique, obtenaient la permission de nous tenir entre leurs mains. Certains avaient même le toupet de caresser notre vernis ou de faire vibrer nos cordes !

*

Le contact avec le monde n'était, dieu des violons merci !, pas obligatoirement désagréable. Je me rappelle ainsi la visite de la princesse d'Essex, la plus jeune et la plus belle des filles du roi, qui sollicita timidement l'autorisation de nous admirer de près. Elle était si charmante que M. Dragonetti lui demanda si elle savait jouer du violon et si elle aimerait essayer un Stradivarius. Elle rougit et avoua qu'elle tenait honorablement l'archet depuis l'âge de neuf ans.

Invitée à choisir, elle me dégagea de mon écrin et me regarda longuement en insistant sur les points qui distinguent un grand violon, les ouïes, la volute, les ondes du fond, les éclisses. À la façon dont elle me plaça sur sa gorge, je sus que je n'avais pas affaire à une débutante. Il restait à imaginer quel morceau elle choisirait et comment elle le jouerait. Eh bien, elle se tira élégamment du début d'un concerto de Mozart et, quand elle me reposa, Dragonetti et Viotti applaudirent :

— Votre Altesse aurait sa place dans n'importe quel orchestre ! dit le premier.

— Et même, après quelques leçons, en solo dans un concert ! ajouta mon maître.

Je trouvais qu'il en faisait un peu trop. Mais j'apprendrai plus tard que les grands ne pensent jamais qu'on les loue à l'excès. Quoi qu'il en soit, la princesse demeura long-temps la plus délicieuse et la meilleure violoniste que j'aie rencontrée. Je conserve précieusement au fond de ma mémoire d'épicéa l'image de sa silhouette souple, de ses gestes harmonieux et du bonheur de jouer qu'exprimait son visage.

HUITIÈME LIVRET

Fleur la guitare

Opus 1

Au fil des mois et des années, la collection de M. Dragonetti s'enrichissait. Il lui avait fallu installer de nouvelles vitrines pour contenir ses acquisitions : deux violons de Gasparo da Salo, des manuscrits musicaux de Mozart et de Haydn, un théorbe, une flûte ayant paraît-il appartenu à Corelli. Les contrebasses, alors au nombre de douze, tenaient tellement de place qu'il avait dû les grouper dans un cabinet voisin. Tous ces instruments, à part un violon crémonais d'Amati que je trouvais beau, me laissaient cependant indifférent... Jusqu'à ce qu'on installe près de moi à la place d'un alto prétentieux qui me déplaisait une fort jolie demoiselle.

*

Elle était vêtue d'une robe d'écaille du plus bel effet, marquetée de fleurs et de losanges d'ébène. Sans hésiter, sûre de ses lettres de noblesse, elle me montra tout de suite, pour lier connaissance, une petite plaque d'ivoire fixée à l'avers du chevillier. Je déchiffrai : « Voboam. À Paris, 1699 ». Ce devait être le nom du luthier qui avait construit cette séduisante guitare à la taille élancée, trop belle pour n'avoir pas été tenue au cours de sa vie dans les bras de femmes de qualité. Elle m'intrigua d'abord parce que je n'avais pas, jusque-là, prêté attention à ces instruments, ceux-ci ne faisant pas partie des habitués d'orchestre, puis elle ne tarda pas à me plaire.

Elle était attirante, parlait la langue des violons presque sans accent, m'apportait la nouveauté et le charme d'une conversation qui me changeait des propos de mon frère Drago dont les histoires ressassées finissaient par m'horripiler. Il pouvait, remarquez, penser la même chose à mon égard, mais moi, au moins, alors que j'avais vécu beaucoup d'aventures passionnantes, je prenais soin de ne pas les rabâcher.

Comme je lui demandais son nom, elle me répondit :

— La reine Marie Leszczynska m'appelait Fleur à cause de la rose de ma table qui est, paraît-il, très belle.

Je jetai un coup d'œil sur son cœur où s'épanouissait une rosace d'ivoire niellée d'ébène. Fleur était un nom charmant. Elle eut la bonté de trouver qu'il allait bien avec Coucher de soleil, évocateur de mon vernis orangé. Notre duo débutait sous les meilleurs sons : ceux de la politesse.

*

Ma nouvelle amie parlait beaucoup. Elle me raconta notamment son séjour chez la reine dont elle ne quittait pas le salon, posée sur la soie d'une bergère. Marie la prenait chaque soir, lorsque ses amis l'avaient quittée, et jouait l'une des quatre ou cinq mélodies de Jean Boucher qu'elle connaissait par cœur.

— Parfois, une des dames d'atours, Mme de Châteaurenaud qui chantait bien, s'accompagnait sur mes cordes. C'était un délice.

Fleur me taquina aussi en me reprochant avec une délicieuse perfidie de ne pas l'avoir remarquée quand Viotti participait au concert de la reine.

— Bien sûr, disait-elle, qui pouvait faire attention à la pauvre Fleur, abandonnée sur son coussin, lorsque le grand Viotti tirait des sons déchirants de son célèbre Stradivarius ?

Je ris au coup de patte et lui répondis que lorsqu'on joue un concerto difficile, on n'a pas le temps de regarder derrière soi. Et, depuis, les choses avaient changé. Maintenant Fleur était allongée à quelques pouces de moi et me charmait chaque jour un peu plus de ses propos.

Je sentais, sans savoir de quoi il s'agissait, qu'il m'arrivait quelque chose de neuf et affichais une bonne humeur constante. J'en arrivai à trouver de l'agrément dans les accords que Dragonetti tirait de la contrebasse obèse de Cozio di Salabue, écoutais avec résignation mais sans râler mon frère se plaindre d'être mal aimé et ne manifestais pas l'impatience de jouer, celle-ci ayant risqué de me séparer de ma nouvelle compagne.

*

J'avais bien remarqué qu'entre humains, les hommes et les femmes entretiennent des rapports curieux, insaisissables pour les violons les plus fins.

Je les avais même vus dormir dans le même lit comme Viotti et la Banti, se disputer à l'exemple des Leclair, et parfois – souvent en vérité – parler d'amour, un mot que je pensais maintenant comprendre depuis que la présence de Fleur rendait ma vie plus savoureuse tandis qu'elle paraissait de son côté se plaire avec moi. Mais je notais une grande différence entre l'amour, appelons-le comme cela, que nous nous portions et celui, brutal et souvent haineux, que semblent pratiquer les humains.

Serions-nous les plus sages dans notre carcasse sylvestre ?

Opus 2

J'ai déjà eu l'occasion de le remarquer, les musiciens – en particulier les virtuoses – sont souvent instables et capricieux. Ainsi Viotti avait-il toujours entretenu des rapports difficiles avec le public. Ce qui n'alla pas en s'améliorant.

Un jour, l'accueil des mélomanes du Hanover Square fut moins chaleureux qu'à l'accoutumée et cet incident, comme jadis au Concert spirituel, le détacha des concerts ouverts au public. Malgré les protestations de ses proches, il résilia sur-le-champ ses engagements et se contenta de venir nous jouer, de temps en temps, mon frère et moi chez M. Dragonetti.

Nous attendions que passe cet accès de mauvaise humeur quand Viotti prit une résolution qui frappa de stupeur son entourage et nous prit au dépourvu. Loin des salles de concert de Londres, il en vint à chercher dans le commerce du vin les ressources nécessaires à son existence. Son credo ? « Je me condamne à l'oubli du public. » Heureusement, il ne s'est jamais condamné à se priver de musique puisque tout en vendant son vin français, il n'a cessé de jouer et de composer. Jusqu'au jour où il fit faillite et décida, la paix d'Amiens ayant supprimé la barrière entre la France et l'Angleterre, de retourner vivre à Paris.

*

Il me plaît de croire qu'il se passait difficilement de moi et que c'est pour me rejoindre qu'il réapparut un jour à Londres. À Paris pourtant, il avait reçu bon accueil. Après dix ans passés hors de France, sa virtuosité retrouvée avait étonné le public mais, comme il l'indiqua à M. Dragonetti, jouer pour des inconnus ignorants ne l'intéressait plus.

Moi, je renouai avec bonheur mes relations avec Viotti qui, hélas, ne tarda pas de nouveau à dérouter ses plus chauds partisans. Ainsi, il se découvrit une nouvelle lubie. Je l'entendis en effet un matin, alors qu'il venait de me jouer divinement dans une sonate que j'appréciais, déclarer à Dragonetti :

— Le directeur de l'Opéra de Paris vient de mourir. Je veux cette place depuis longtemps et je reprends le bateau pour tenter ma chance.

Je n'avais jamais vu mon propriétaire aussi courroucé. Il vitupéra, expliqua à Viotti que cette fonction était un piège, qu'il allait s'user dans un combat perdu d'avance et qu'il ne réussirait jamais à relever ce théâtre de la décadence qui le frappait.

— Jouez donc tranquillement mes deux Stradivarius et vivez confortablement en montrant votre talent aux connaisseurs, pesta-t-il.

Hélas, rien n'y fit. Le virtuose admirable, le compositeur génial voulait être directeur ! Il gagna son pari, prit la barre de ce navire en perdition durant quelques mois et comme on pouvait s'y attendre se vit rapidement remercié, tout en recevant une rente de six mille francs.

Le chagrin qu'il conçut de cette ultime brimade et la mort de son frère eurent raison de ses dernières forces. Viotti réapparut une fois de plus à Londres en assurant qu'il n'avait plus sa place à Paris où brillaient de nouveaux musiciens de valeur, en particulier Rodolphe Kreutzer auquel il reconnaissait un grand talent de virtuose et de compositeur. « Songez, disait-il, que Beethoven, après l'avoir entendu jouer, lui a dédié une sonate ! »

Je songeais de mon côté que ce fameux Kreutzer, comme la plupart des grands musiciens, viendrait un jour à Londres et demanderait à me jouer.

Si ma nature optimiste m'incite à conserver mes souvenirs les meilleurs, je n'oublierai jamais une dramatique journée de mars 1824.

Opus 3

Ce matin-là, Giovanni Battista Viotti entra d'un pas hésitant dans le cabinet de musique, me retira de la vitrine et me murmura d'une voix tremblante, en me tenant à bout de bras face à lui :

— Ce matin, mon bon violon, il va falloir m'aider car mes mains tremblent et la fièvre me gagne. Je crois que je vais bientôt rejoindre au ciel mon père et les miens. Tu te rappelles, hein, Fontanello ? Avant que je ne meure, nous allons jouer une dernière sonate, la sonate de l'adieu. Laquelle ? Je n'en sais rien. Tiens, nous allons l'inventer ensemble.

*

Et M. Viotti, seul au milieu de la pièce, se mit à improviser.

Ce fut tragique, ce fut divin. Jamais le virtuose n'avait été aussi inspiré. Il ne frémissait pas en jouant, il pleurait. À chaque mouvement de l'archet, ses larmes mouillaient le cordier et déposaient de petites taches blanches sur le vernis de la table.

Cela aurait pu durer une éternité. Une sonate n'est finie que lorsque le compositeur le décide mais, cette fois, c'est le morceau qui s'arrêta au milieu d'un arpège. En un instant, en un souffle, je sentis le maître perdre son équilibre. Il poussa un cri rauque et allongea son bras afin de me lâcher sur la table. En s'écroulant, il accrocha le grand lutrin qui se fracassa sur le sol, répandant des dizaines de pages de partitions qui couvrirent, telles un linceul de musique, son grand corps allongé.

*

C'était donc cela la mort des humains !

Et qu'allait-il advenir de mon ancien maître ? Je me dis que leur Dieu allait s'en occuper.

De la table où je me trouvais, j'apercevais mon frère et Fleur, la guitare, qui, assurément, ne comprenaient rien à ce qui venait de se passer. Moi, je prenais peu à peu conscience que, pour le grand Viotti dont les larmes séchaient lentement sur mon vernis, la musique s'était tue à jamais.

*

Pour l'heure, mon attention ne pouvait quitter l'archet qu'il serrait entre ses doigts recroquevillés. C'était bien la fin de notre alliance. Demain un autre ferait vibrer mes quatre cordes à sa manière. Je devrais m'habituer à cet étranger mais qu'importe, après tout je commençais à en avoir l'habitude.

Déjà, je me pris à envisager que je me retrouvais entre les mains du célèbre Kreutzer et qu'il me faisait jouer la sonate qu'avait composée pour lui Beethoven, ce dieu germain dont les hommes parlaient avec tant de respect. Mais ne rêvons pas, d'autres changements s'annonçaient.

*

La mort de Viotti attrista profondément Dragonetti. Malgré ses échappées à Paris, d'où il était toujours revenu, Giovanni Battista faisait partie de la famille, partageait le plus souvent les repas du virtuose de la contrebasse, l'aidait dans ses recherches et dans l'entretien de sa collection.

*

Pour oublier peut-être, M. Dragonetti connut une autre passion. Il monta dans l'une des pièces de sa maison un atelier de luthier où un professionnel aurait pu s'installer au pied levé. Il ne fabriquait pas de violons mais était capable de réparer les petites blessures survenues à ses chers instruments, voire de remettre en état ceux qu'il venait d'acquérir.

Je l'ai vu ainsi restaurer le théorbe, cette sorte de luth à deux manches trop peu joué à mon sens en « basse continuo » dans les orchestres de chambre. L'instrument, acheté à un brocanteur, m'avait rappelé l'état lamentable dans lequel on m'avait retrouvé à Paris. M. Dragonetti le nettoya, le ponça, boucha les fissures et l'encolla à la gomme-gutte avant de le revernir.

Le vernis, c'était sa marotte. Il possédait dans son atelier un nombre considérable de fioles contenant de la sandaraque, de la poix grecque, de l'huile de pétrole et quantité d'autres substances inconnues de moi. Un jour, il me confia :

— Coucher de soleil, j'arriverai à retrouver la composition du vernis utilisé par ton père et qui reste un mystère !

Je me dis, en me rappelant comment Stradivarius élaborait son mélange de larmes de sapin, ces gouttes de térébenthine qui restent collées à l'arbre et sèchent au soleil, agrémentées d'une dilution d'esprit de vin, d'huile d'aspic et du contenu de maints autres obscurs flacons, qu'il pouvait courir longtemps après le secret du vernis de papa. « Papa », j'ai pris ce dernier mot aux humains car je le trouve joli. Je le chante en « lala » quand je veux penser à lui.

*

Mais revenons au pauvre Viotti. M. Dragonetti décida de lui offrir de belles funérailles à l'église Saint-Patrick. De nombreux musiciens de la ville y assistèrent. Mon maître avait pensé apporter sa contrebasse mais il y renonça et préféra me jouer. Mon frère fut confié à Mr. Loyd, un maître de musique qui venait souvent au cabinet et nous interprétâmes durant la messe le *Concerto n° 22 en la mineur*, l'un des plus beaux composés par le défunt.

Et au retour des obsèques, Dragonetti me lança d'un ton grave :

— Désormais tu ne t'appelleras plus Coucher de soleil. Tu porteras le nom de Viotti !

Neuvième livret

L'aigle Paganini

Opus 1

Il me faudra attendre longtemps pour qu'un virtuose me fasse découvrir et jouer la *Sonate à Kreutzer*. C'était, je crois, à Berlin, puisque Kreutzer est le seul grand violoniste de cette époque qui ne soit jamais venu en Angleterre. Si lui n'a pu me jouer, un autre artiste tout aussi fantasque et impressionnant débarqua un jour dans le cabinet de musique de M. Dragonetti où j'occupais toujours la place d'honneur entre mon frère et Fleur, la guitare.

Taille moyenne, front haut, sec comme un archet, petite figure encadrée de longs cheveux noirs, arcs parfaits de deux sourcils, tel m'apparut Niccolò Paganini lorsque mon maître le conduisit avec égards et déférence devant notre vitrine :

— Voici, maître, mes deux merveilles, des Stradivarius bien nés qui méritent peut-être l'honneur de sonner sous votre archet.

Des paroles qui m'enchantèrent alors que je voyais Paganini nous fixer, l'un après l'autre, nous dévorant littéralement du regard. Avec son nez pointu, un peu busqué, on aurait dit un aigle. Un aigle prêt à fondre sur une proie déjà consentante.

— Puis-je, monsieur Dragonetti, tirer quelques notes de celui-ci ?

Celui-ci, c'était moi. Et si j'avais été un homme, mon cœur aurait battu fortissimo. Comme le maître des lieux lui proposait un archet, Paganini répondit qu'il préférait jouer avec le sien et ouvrit le coffret à violon qu'il avait apporté. C'était une cassette banale qui ne donnait pas l'impression de renfermer un objet exceptionnel. Et pourtant ! J'aperçus le violon du visiteur en même temps que Dragonetti, le plus curieux des hommes. Je fus étonné par la forme de l'instrument qui, avec son manche court et plat, rappelait celle des premiers Amati et constatai tout de suite qu'il n'était pas de ma famille. Mais cette remarque fut vite effacée quand l'artiste me saisit.

Lorsque Paganini me prit dans sa main aux doigts longs et souples comme des serpents, je songeai sottement qu'il allait percevoir ce qu'était un grand Stradivarius ! Cette arrogance était ridicule, je m'en rendis compte en écoutant le virtuose italien raconter, avant de me jouer, l'histoire de son violon.

— Vous regardez mon trésor, monsieur Dragonetti. Depuis plus de vingt ans il me suit partout. Je ne le quitte des yeux qu'en dormant et encore, je le glisse sous la couverture près de moi. Vos Stradivarius sont naturellement excellents mais quand vous entendrez sonner Il Cannone, regardez trembler la verroterie de votre lustre. Vous serez étonné par l'incomparable puissance de sa projection sonore et son timbre grave, certains disent ténébreux.

« Il Cannone ? Ce nom, c'est la cantatrice Teresa Bartinotti qui l'a trouvé à cause de son éclatante puissance. Mais comment suis-je entré en possession de ce violon miraculeux ? À vingt ans, j'étais déjà célèbre en Italie quand un monsieur Livron, Dieu ait son âme, riche banquier français, m'offrit pour me remercier d'une interprétation réussie un violon dont l'aspect ne m'enthousiasma pas mais qui se révéla le lendemain, lorsque je l'essayai, un instrument fantastique, diabolique même, tant les sons que j'en tirai furent qualifiés par mes proches d'irréels, de surnaturels.

« Le comte Cozio di Salabue, le grand collectionneur que vous connaissez, m'a renseigné sur son origine : "Vous avez là un violon du luthier crémonais Giuseppe Guarnerius, le génie de la famille qu'on appelait del Gesù."

Dragonetti posa la question qui me venait à l'esprit :

— Pourquoi del Gesù ?

— Ce surnom vient de ce que Guarneri faisait suivre sur son étiquette l'inscription *Fecit Cremonae* des trois lettres eucharistiques I H S surmontées d'une croix. Ce signe qui lui donne quelque chose de divin le distingue aussi de son père prénommé également Giuseppe.

Paganini prenait visiblement plaisir à conter l'histoire de son violon et ce n'était pas M. Dragonetti, dont la passion éclairait le visage, qui allait l'interrompre. Mon frère et moi tendions l'ouïe car l'Italien parlait bas :

— Au cours de la première partie de sa vie, Guarneri del Gesù a fait des beaux violons, originaux mais assez frustes. Il créa ensuite son modèle classique d'un fini impeccable. C'est le moment où il fut emprisonné, ne me demandez pas pourquoi, je l'ignore. La légende dit que la fille du geôlier lui fournit le bois et le matériel dont il avait besoin pour exercer son art.

— J'ai possédé l'un des violons de cette époque que les marchands appellent « violons de la servante », coupa Dragonetti en ajoutant que ces bons instruments ne valaient toutefois pas ses Stradivarius [1].

------

1. La légende de la prison et des « violons de la servante » est aujourd'hui abandonnée à la faveur de la thèse d'un génie à la Van Gogh, de santé précaire, dont la vie dura moins de la moitié de celle de Stradivarius.

— Cela est vrai, poursuivit Paganini. Cependant, vers la dernière partie de sa vie, il produisit des violons d'une coupe plus hardie dont le fond et la table étaient nettement plus épais que les instruments fabriqués alors à Crémone. Mais les miracles existent en Italie ! Quelques-uns d'entre eux se révélèrent doués d'une extraordinaire sonorité. Il Cannone, qui ne ressemble pas aux autres Guarneri, fut le meilleur d'entre eux. C'est lui que je suis venu faire entendre aux Anglais.

*

On en vint alors à ce qui m'intéressait. Qu'allait faire de moi le virtuose le plus célèbre de son temps ?

Je n'avais pas été joué depuis une semaine, aussi dut-il m'accorder avant de commencer à jouer.

Ce qui se passa ensuite fut réellement extraordinaire. De la cour de Kothen à Viotti en passant par les virtuoses de la cour de France, j'en ai connu, des violonistes ! Après, et jusqu'à aujourd'hui, j'ai été joué dans le monde par les plus grands. Eh bien, jamais je n'ai ressenti le plaisir sensuel que m'a procuré Paganini durant les moments où il a fait vivre mes cordes à Londres chez M. Dragonetti et ensuite plusieurs fois en concert ! Dans mes fibres les plus intimes, je conserve le souvenir du quatrième *Capriccio*, le plus beau des vingt-quatre qu'il a composés pour violon seul.

La technique de Paganini était stupéfiante d'habileté. Il ne jouait pas son œuvre, il la dansait, la pressait comme un fruit mûr, la faisait éclater dans un chant qui dépassait la perfection de la plus belle des voix humaines. Tout en répondant à son incroyable volonté, je me demandais comment il parvenait, sans me faire exploser, à réussir ses doubles cordes inouïes, ses pizzicati et ses staccatos étourdissants. Il me fallut assez longtemps pour m'apercevoir que son incroyable virtuosité était facilitée par des dispositions physiques très particulières. Ainsi son épaule gauche était-elle plus haute que l'autre, ce qui faisait paraître le bras droit plus long. Ses gestes y gagnaient en élégance et surtout en efficacité. Le plus étonnant demeurait l'extensibilité des doigts de sa main gauche. Il imprimait aux premières phalanges un mouvement qui lui permettait d'appuyer sur les cordes sans que sa main ne se déplace. Et ce avec une facilité confondante. Je ne sais pas si vous saisissez la singularité de ces tours de force que j'ai été le seul, avec peut-être son Canon, à pouvoir analyser. Je comprends donc ceux qui le soupçonnent d'avoir vendu son âme au diable pour être capable de jouer ainsi.

*

Mais revenons au premier jour où Paganini me saisit entre ses mains si souples que je sentis à peine leur pression. En revanche, je fus étonné de le voir me souder littéralement à lui en resserrant son menton sur ma table d'harmonie. J'ai dit qu'il dansait sa musique. Je m'en rendis compte dès les premières mesures. Son jeu me sembla fait d'envolées, d'étirements acrobatiques, de révérences. À certains moments j'apercevais ses petits pieds chaussés de soie qui bougeaient sans cesse sur le parquet au rythme de la musique. Corps, violon, archet ne faisaient qu'un devant Dragonetti aux anges dans son fauteuil.

Quand s'envola dans un dernier vertige l'archet de Paganini, rien, durant un instant, ne troubla le silence. Le virtuose épongea la sueur qui perlait à son front et mon maître, ivre de musique, tangua en se levant.

— Admirable ! Admirable ! finit-il par clamer tandis que Paganini me reposait à ma place. Je n'ai jamais entendu si bien chanter un violon. Alors, maître ? Que pensez-vous de mon Stradivarius ?

— Si je ne possédais pas Il Cannone qui me suit depuis plus de vingt ans et restera jusqu'au bout mon seul violon, c'est votre Viotti que je voudrais jouer. Il est parfait. Mais mon Guarneri n'est-il pas meilleur ? Nous allons nous en assurer.

*

Il sortit son violon de la boîte, rectifia d'une pichenette la tension du *la* et commença de rejouer le quatrième *Capriccio*. Il se produisit alors quelque chose d'étrange. C'était la même musique, le même interprète, le même lieu et, pourtant, une nette différence de tonalité et de timbre distinguait les auditions et s'affirmait à mesure que le morceau avançait.

Comment s'est terminée cette confrontation entre deux violons qui étaient, si l'on en croyait leurs propriétaires, les meilleurs du monde ? Je me rappelle la discussion passionnée qui s'engagea entre Paganini et Dragonetti. Le premier, avec une grande lucidité, expliqua la portée de sa rencontre avec un violon encore jeune, qui n'avait pratiquement pas été joué et qui, peut-être, aurait, sans elle, laissé Il Cannone dans l'anonymat de la production inégale de Guarneri.

— Quand, dit-il, j'ai fait sa connaissance et que je suis parti avec lui dans ma première grande tournée européenne, les amateurs avertis ne portaient qu'une attention mesurée à la cinquantaine de violons qu'avait laissés del Gesù. Le comte Cozio di Salabue lui-même traitait Giuseppe Guarneri d'imitateur mineur de Stradivarius !

— Et que pense-t-il maintenant ? s'enquit Dragonetti.

— Il reste persuadé que les Stradivarius sont meilleurs mais reconnaît qu'Il Cannone est une réussite unique du maître de Crémone. Il dit même que c'est moi, par mon jeu constant et particulier, qui ai amélioré ce violon jusqu'à lui faire émettre ce son unique à la fois puissant, pur et profond. Disons seulement que nous étions faits l'un pour l'autre. Mais vous, monsieur Dragonetti, donnez donc votre avis.

*

Mes ouïes se pincèrent. Notre propriétaire collectionneur allait-il défendre l'excellence suprême de Stradivarius ou retourner ses éclisses et déclarer vainqueur Il Cannone ?

Il était intelligent et réussit à ne vexer personne :

— Monsieur Paganini, vous avez d'abord joué la partita dont vous êtes l'auteur sur un violon qui vous était inconnu. Votre génie nous en a donné une audition magnifique, digne de votre renommée et du Viotti. Puis vous avez utilisé votre Guarneri qui est une partie de vous-même, vous connaît et connaît la musique que vous composez pour lui. Il Cannone est, pour vous, le violon idéal et si j'admets volontiers que vous avez gagné, à vous deux, l'épreuve de la partita, je dis, parce que c'est la vérité, que nous avons ce soir dans cette pièce deux violons qui se valent dans la diversité de leurs qualités.

J'ai trouvé que Dragonetti avait fort bien parlé. Si le Guarneri un peu lourdaud, aux ouïes pendantes et au bois épais n'avait pas mon élégance, sa sonorité était, je dois l'avouer, meilleure que la mienne dans certains morceaux. Je savais que j'avais maintenant en sa personne un rival redoutable, qui plus est joué par le meilleur virtuose de l'époque. Moi, je n'avais personne et étais condamné à l'envier en attendant qu'une bonne âme – les humains ont aussi une âme mais ce n'est pas une cheville de sapin – vienne me chercher dans ma vitrine.

En attendant, je savais que M. Paganini allait séjourner un mois à Londres et je me demandai si cette perspective me fâchait ou me plaisait. J'optai pour le contentement car il devait me jouer quelquefois en public. Il faut savoir, quand on est violon, ne pas manquer les occasions de montrer ses dispositions.

Et puis comment, quand on a tâté de l'archet d'un Paganini, ne pas rêver de recommencer ?

Opus 2

Pour mon bonheur, Paganini et Dragonetti s'entendaient à merveille. Ils passaient tous les jours de longs moments à bavarder et, de mon poste d'observation, je voyais tout, j'entendais tout.

Parfois ils s'amusaient comme des gamins. Mon maître prenait sa grosse contrebasse, Paganini Il Cannone et tous deux improvisaient ce qu'ils appelaient un « *capriccio agitato* ». L'un était petit et mince comme un fil, l'autre grand et fort, mais ils se confondaient dès l'engagement. Car il s'agissait bien d'un duel. Les archets, comme deux épées, virevoltaient dans l'air avant de toucher les cordes. Ils en voyaient de dures, ces pauvres archets ! Souvent, un crin se détachait de la hausse et décrivait d'élégantes arabesques dans la lumière en suivant l'étrange ronde de Paganini qui tournait en dansant autour du monstre agité que formaient Dragonetti et sa contrebasse. Sortait de ce duo endiablé une musique étrange et gaie que je trouvais époustouflante. J'ai toujours regretté qu'il n'en reste rien. J'aimerais encore la jouer avec de bons compères durant un concert, sûr qu'elle rencontrerait beaucoup de succès.

*

Après ces séances, les deux amis éprouvaient le besoin de se reposer. Ils s'installaient dans des fauteuils près de la fenêtre et entamaient de longues discussions dont je percevais l'essentiel.

— Il ne faut pas croire, assurait Paganini, que mes succès datent du jour où je suis devenu propriétaire d'Il Cannone. J'avais joué auparavant de très bons violons que je garde encore dans ma maison de Parme.

Évidemment, entendant ces confidences, le collectionneur Dragonetti demanda si ces instruments étaient des crémonais.

— Que non, répondit Paganini. C'était un temps où l'on ne prêtait guère attention à l'origine des violons mais plutôt à leur qualité. Mes deux premiers instruments portaient les étiquettes de Buschester à Ratisbonne et d'Anselmus Bellofius à Venise. Deux modestes luthiers qui firent de bons instruments puisqu'ils me permirent de devenir à quinze ans un violoniste admiré au Grand Théâtre de Parme et lors des concerts donnés dans la maison de plaisance des souverains de Cologne. C'est encore avec ces chers vieux compagnons que j'ai voyagé dans toute l'Italie jusqu'au fameux concert de Pise où monsieur Livron me fit cadeau de mon Cannone.

— On sait, dit mon maître, que votre incomparable technique est aidée par des dispositions physiques particulières. Mais votre sens auditif ? Êtes-vous aussi servi par une oreille exceptionnelle ?

— On le prétend. Il est vrai que, dès l'âge de cinq ans, les sons me pénétraient. Le carillon de l'église m'emplissait d'un profond bien-être et je ne pouvais entendre jouer l'orgue sans être ému jusqu'aux larmes. Plus tard, le médecin Bennati a écrit que la délicatesse de mon ouïe surpassait tout ce qu'on pouvait imaginer. Bon, je crois que mon oreille, sans être exceptionnelle, a suivi le reste pour me transformer en bon violoniste.

Ce n'était pas de la fausse modestie car Paganini était un homme simple qui paraissait même parfois agacé lorsqu'on accumulait les adjectifs pour prôner et vanter son génie. En vérité, son comportement imprévu, et finalement humble en la matière, m'enchantait comme il enchantait ses admirateurs. Il usait de ces surprises avec malice, soit par une acrobatie inattendue de ses doigts, soit par une confidence.

Un jour, il s'arrêta ainsi devant Fleur qu'il n'avait jusque-là jamais regardée :

— Cette guitare est superbe, s'écria-t-il. Me permettez-vous de voir s'il me reste quelques souvenirs des leçons que m'a données jadis la personne chez qui je vivais ?

Le plus grand virtuose du monde, possesseur du meilleur violon (encore que...), jouant de la guitare comme une jeune fille de bonne famille, il y avait de quoi être estomaqué. Je le fus. Dragonetti aussi. Et plus encore Fleur quand le fameux Niccolò Paganini vint la retirer de la vitrine.

On sentit son émotion lorsqu'il posa la guitare sur ses genoux pour la regarder avec des yeux brillants, pleins de fièvre.

— La rose de votre Fleur ressemble à celle de la cathédrale de Milan et j'imagine le visage de Claire penché sur elle. Cela ferait un beau tableau mais Claire est loin, et mes doigts habiles au violon sont gourds sur les cordes de la guitare. Les sons qui vont en sortir seront atroces mais tant pis, j'ai trop envie.

Nous n'en saurons pas plus sur Claire mais le maître interpréta comme un débutant une mélodie un peu fade qui le touchait aux tréfonds. Et Fleur parlera longtemps du jour où le grand Paganini la prit dans ses bras.

Opus 3

À Crémone, quand on posait la chanterelle sur un violon, c'était l'annonce que celui-ci était achevé et que le maître allait le faire sonner pour la première fois. Chez Dragonetti, on ne fabriquait pas de violons, mais le joli mot de chanterelle revenait fréquemment dans la conversation. Il est vrai qu'elle cassait souvent, cette corde fine comme un cheveu et dont l'aigu, lorsqu'il était appuyé, agaçait l'oreille. M. Dragonetti, qui se serait cru déshonoré de voir l'un de ses violons privé d'une corde, en avait toujours en réserve.

Or Paganini, un jour d'exaltation, en fit sauter trois à la suite au cours de pizzicati étourdissants. Et Dragonetti se trouva fort dépourvu devant ce papillon avide de chanterelles. Il envoya aussitôt l'un de ses gens se réapprovisionner chez Henry Lockey Hill, le luthier londonien, descendant d'une longue lignée vouée à l'art du violon. Je connaissais la maison de Poland Street et ses armoires d'acajou car mon maître m'y avait par deux fois déposé afin de confirmer ma bonne santé. On y traitait les instruments avec respect et un Stradivarius comme le plus important personnage du royaume. Mais aurait-on dans cet antre du beau son, les cordes essentielles à nos exploits ?

Rolando, le valet espagnol de la maison, rapporta peu après une douzaine de chanterelles avec un mot de Mr. Hill :

« Cher monsieur Dragonetti, vous avez de la chance ! Mon fournisseur italien m'a envoyé hier un lot de chanterelles napolitaines. Je pense que votre hôte illustre monsieur Paganini n'utilise que cette sorte de corde *mi*. Elle est tellement supérieure. Votre dévoué serviteur. W. E. Hill. »

La chanterelle de Naples ! J'avais souvent entendu mes maîtres successifs vanter son timbre inimitable, mais j'ignorais tout du reste. La conversation qui suivit éclaira ma lanterne.

— Mister Hill est un gentleman ! affirma Paganini. Il sait que nos grands violons ne supportent que cette chanterelle fabriquée dans le sud de l'Italie. J'ai ouï-dire que certains luthiers de Crémone ont jadis essayé de transformer des boyaux frais de mouton en ces fils magiques qui font chanter les voûtes. Ils y ont vite renoncé, laissant aux Napolitains le soin de procéder, du vidage à l'apprêtage, aux onze opérations nécessaires.

— Je ne savais pas tout cela, répondit Dragonetti. Et pourquoi les chanterelles de Naples sont-elles irremplaçables ? Existe-t-il un secret ? Les fumées du Vésuve peut-être ?

Paganini éclata de rire :

— Non, le Vésuve n'y est pour rien. La gourmandise italienne plus sûrement. Figurez-vous que les habitants de la région n'apprécient la chair du mouton qu'à son plus jeune âge, ce qui oblige les éleveurs à tuer les agneaux dans leur première année, époque où leurs boyaux ont encore un petit diamètre et se révèlent, par conséquent, les plus aptes à devenir des chanterelles de qualité. Je pense que si les Anglais n'attendaient pas que leurs moutons sentent si horriblement le suint pour les manger, ils pourraient aussi bien fabriquer des chanterelles !

Tout en parlant, Paganini avait remplacé la corde cassée. Ses longs doigts agiles avaient noué son boyau au cordier, l'avaient glissé dans l'encoche du chevalet et relié à sa cheville doucement tournée pour régler la tension de la chanterelle.

— Honneur à l'agneau napolitain qui après avoir fait les délices d'une famille de Solfatara nous offre ce *mi* d'une pureté angélique !

*

Et par trois fois, il fit filer la note à l'aide de son index, saisit son archet et reprit le *Capriccio a movimento perpetuo* malencontreusement interrompu.

C'est ce genre de souvenirs exquis qui ressurgissent quand je pense à l'époque où Paganini jouait le Viotti, comme je me nommais alors.

Opus 4

Il n'avait pas fallu longtemps au maître italien pour faire bon ménage avec ma tendre Fleur. Il la retirait chaque soir de son nid matelassé et ses doigts véloces oubliaient la touche du violon pour venir taquiner, sur la rosace d'ébène et d'ivoire, les cinq cordes de ma guitare. Il jouait, un peu hésitant, des mélodies que je ne connaissais pas mais qui, visiblement, lui évoquaient de doux souvenirs. J'apprendrai même, plus tard, que le grand violoniste a joué de la guitare jusqu'à la fin de sa vie – un chroniqueur malicieux a d'ailleurs osé parler de violon d'Ingres.

*

C'est à cette époque que « l'atelier » – M. Dragonetti aimait appeler ainsi la partie de la maison consacrée à la musique – reçut la visite d'un étrange personnage, alors qu'il travaillait à son *Histoire de Stradivarius*.

Il Cannone, présent, écoutait, l'ouïe vague, son maître Paganini en train de me faire jouer une sonate de Bach. À ce propos, l'Italien reconnaissait que, dans cette musique inaugurée par moi à Kothen, j'étais meilleur que son cher Guarneri, ce qui évidemment satisfaisait mon ego. Nous finissions donc l'adagio lorsque le valet annonça la visite d'un homme arrivé le matin à Londres et qui se recommandait du luthier parisien Vuillaume.

Dragonetti et Paganini levèrent la tête et découvrirent un personnage habillé de guingois, comme sa personne pliée sous le poids d'un sac de grosse toile.

— Que puis-je pour vous, monsieur ? demanda, surpris, le maître de maison. J'ai en effet rencontré l'an dernier monsieur Vuillaume à Paris. Êtes-vous vous-même luthier ?

— Ce serait beaucoup dire. Je ne prétends être qu'un bricoleur de violons, répondit l'homme dans un italien populaire où il tentait de placer des mots d'anglais qui rendaient son discours malaisé à comprendre.

— Parlez italien, monsieur...

Le visiteur, soulagé, se présenta :

— Luigi Tarisio, de Milan, prospecteur de violons, pour vous servir. Je cours les routes de l'Italie afin de repérer les instruments anciens, ceux de Crémone en particulier. La plupart sont en piteux état et je les répare.

— Vous voulez donc me vendre des violons ?

— Votre réputation de collectionneur est grande, monsieur Dragonetti, et je transporte dans mon sac de quoi pouvoir, je l'espère, vous intéresser. Je dois encore rencontrer mister Hill dont le comte Cozio, pour qui je travaille fréquemment, m'a donné l'adresse.

— Expliquez-vous donc, monsieur, s'enflamma Dragonetti, émoustillé par l'excitant parfum de violons que dégageait l'étrange visiteur.

— Je n'explique pas, je montre, annonça celui-ci en déballant sur la table, près de moi, le contenu de son sac.

*

C'étaient trois violons que Dragonetti et Paganini observèrent, littéralement suffoqués. Comme moi, ils avaient reconnu un Stradivarius et constaté que les deux autres s'avéraient à leur tour des Italiens de noble facture.

— *My God*, s'écria Dragonetti, où avez-vous trouvé ces instruments ? Je vous les achète tout de suite si votre prix est raisonnable.

Signor Tarisio ne répondit pas mais dit :

— Vous essayez de deviner l'époque du Stradivarius ? 1736. Le maître était bien vieux mais il savait encore manier l'outil. Moi seul sans doute, et le comte Cozio qui en sait plus que tout le monde sur le sujet, sommes capables de déceler que les coins n'ont pas la netteté de ceux de l'âge d'or et que les ouïes n'ont pas été tranchées d'une main aussi précise. Mais c'est un grand violon. Prenez un archet et essayez-le.

— Monsieur Paganini va s'en charger, s'enthousiasma mon maître.

Au nom de Paganini, Tarisio, confondu, balbutia :

— Comment ? Vous êtes le grand Paganini ? Je suis si confus, si ému aussi. Il faut que je vienne en Angleterre pour avoir l'honneur de rencontrer le meilleur virtuose de tous les temps ! Ma merveille ne pouvait trouver un interprète aussi prestigieux pour dévoiler ses richesses.

*

Le violon était désaccordé et de sa main magique, en quelques chiquenaudes, Paganini rétablit la paix entre les quatre cordes avant de commencer à franger sur *La Campanella*, son air le plus connu du public italien.

Dès les premières mesures, je constatai que ce frère sonnait magnifiquement, à la façon de la famille, mais qu'il ne serait pas un concurrent dangereux pour moi, ni

pour mon parent. N'empêche, c'était un fameux violon !
Dragonetti souhaita aussitôt l'acquérir.

— Combien ? demanda-t-il.

— Rien, car je ne vous le vends pas. Le comte Cozio m'a
fait promettre de le réserver à mister Henry Lockey Hill.

Mon maître, déçu, essaya d'amadouer Tarisio. Il se montra charmeur, fit une offre généreuse et finalement se laissa
aller à une grande colère contre cet original qui se promenait entre les Pouilles et Londres avec un sac plein de violons précieux et osait lui préférer Hill, son fournisseur.
Mais rien n'y fit. Le signor Tarisio, imperturbable, laissa
passer l'orage avant de proposer d'une voix douce :

— Si cela vous agrée je peux vous céder cet Amati de
1680. Et même l'autre qui est un peu plus ancien.

Ainsi fut fait. Dragonetti bougonna, alla chercher un sac
de pièces d'or dans sa chambre et enrichit sa collection
de deux Amati qui, honnêtement, n'étaient pas loin de
sonner aussi bien que le Stradivarius. Quant à Tarisio, il
replaça son violon dans le bagage et prit congé en souhai-
tant longue vie à mon maître et en assurant Paganini de
son indéfectible admiration.

Il avait à peine fait quelques pas vers la porte qu'il revenait déjà en arrière pour murmurer :

— Une confidence, messieurs. J'ai besoin de l'argent de
ces ventes pour acheter un autre Stradivarius, la merveille
des merveilles, un violon sublime de 1715 qui hante mes
nuits.

Une telle déclaration ne pouvait qu'attiser la curiosité de
Dragonetti :

— Puisque nous avons fait affaire, jurez-moi, monsieur
Tarisio, que vous reviendrez pour me montrer ce violon
unique.

— Sans doute, sans doute. Mais il faut avant que j'en
devienne propriétaire !

Ce soir-là nous restâmes Drago, Il Cannone et moi dans notre vitrine. Paganini ne joua que les violons d'Amati pour mon maître. Lequel ne put évidemment s'empêcher de demander, avant de se retirer dans sa chambre :

— Vous y croyez, vous, à ce violon miraculeux ?

Paganini toussota en rangeant son archet et rétorqua :

— Pourquoi pas ? Avec ce diable d'homme et le divin Stradivarius, on peut s'attendre à tout.

DIXIÈME LIVRET

Le trio des dévots

Opus 1

J'avais souvent entendu Dragonetti parler d'un luthier français qui, comme lui et le comte Cozio, s'avérait fou de Stradivarius. Jean-Baptiste Vuillaume était, avançait-il, fasciné par les violons de Crémone et en particulier ceux de mon père. Il avait étudié dans leurs moindres détails les rares instruments du maître passés par ses mains, les avait scrutés, mesurés, dessinés. Son rêve, depuis qu'il avait quitté Mirecourt où son père lui avait enseigné l'art de fabriquer son premier violon, consistait à copier les plus anciens instruments italiens pour les proposer aux virtuoses n'ayant pas les moyens d'acquérir un Stradivarius.

*

Je ne m'étonnai pas de voir celui qui faisait l'objet de tant de conversations débarquer, un matin de printemps, dans l'atelier de Leicester Square, lieu de passage obligé de tous ceux qui, en Europe, s'intéressaient au violon. Il avait une trentaine d'années, portait la barbe blonde à la française et semblait d'humeur joyeuse. La présence de

Paganini l'enchantant, il ourla devant lui un discours un peu emberlificoté. Soit dit en passant, j'apprécie ce mot qu'utilisait Viotti : « Je lui trouve des manières de triple croche. »

— Le plus grand virtuose du monde me fera-t-il la grâce de me permettre d'admirer le plus beau des violons, je veux dire le célèbre Il Cannone ? C'est mon souhait depuis longtemps. J'aimerais tellement m'en inspirer.

Trois fanatiques se trouvaient rassemblés et inutile de voir qui allait encore être le sujet de leur conversation.

— J'espère que ce fameux luthier français fera un peu attention à nous, dis-je à mon frère Drago. Cela m'agace qu'il ne soit plus question que du Cannone depuis que Paganini a mis le pied en Angleterre. Je suis sûr que si on en parle tant, c'est pour faire oublier qu'il n'est pas Stradivarius !

Tout de suite, je me rendis compte du caractère injuste de cette méchanceté. Le Guarnerius de Paganini était en vérité un compagnon de bon aloi qui, lorsqu'on nous laissait en tête à tête sur la table, avait toujours une agréable histoire à raconter.

Ainsi me confia-t-il la façon dont il était devenu la propriété de Paganini. Le maître avait expliqué qu'un Français le lui avait donné mais était resté discret sur ce geste surprenant. Il était donc intéressant d'apprendre, par l'intéressé, comment les choses s'étaient déroulées.

*

— Paganini se trouvait à Livourne sans instrument. L'un de ses deux violons, de solides vénitiens dont il tirait des merveilles, était en réparation chez un luthier de Parme et il avait dû laisser l'autre en gage à la suite d'une perte de jeu. Car, s'il s'est heureusement corrigé de ce redoutable défaut, mon maître était à l'époque un joueur invétéré. Comme il cherchait un violon pour le concert qu'il était venu donner au Grand Théâtre de la ville, monsieur Livron, un passionné de musique qui m'avait acheté peu de temps auparavant à Turin, proposa de me prêter à lui le temps de la soirée. Pour moi qui restais durant des semaines rangé au fond d'un placard, c'était une aubaine. Tu te rends compte, être joué en concert par un virtuose applaudi dans toutes les grandes villes d'Italie !

— J'imagine mais continue. Tu racontes bien !

— Je n'oublierai jamais cette soirée fantastique où Paganini fut ovationné, ni l'assistance en délire. Il fut même porté en triomphe et je me revois brandi au poing du héros haussé à dix pieds du sol. Mais c'est après, lorsque Paganini vint rendre son violon, qu'il arriva quelque chose d'inattendu, un événement qui allait bouleverser ma vie.

« Alors qu'il le remerciait, monsieur Livron, en larmes, prit Paganini dans ses bras : "Vous m'avez donné la plus grande émotion musicale de ma vie et je me garderai bien de profaner des cordes que vos doigts ont touchées. Désormais, le violon que vous avez joué divinement vous appartient. À chaque nouveau succès que vous remporterez, il y en aura beaucoup, vous penserez à Livron, un vieux fou de violon !"

« Voilà comment je suis devenu l'instrument, l'ami complice, l'enfant chéri de Niccolò Paganini qui, depuis ce soir mémorable, m'a joué dans tous ses concerts. En sa compagnie, les aventures, souvent extravagantes, se sont succédé. Je me souviens d'une soirée à Lucques, chez le prince Bacciochi. Il lui prit fantaisie d'ôter devant son auditoire ma deuxième puis ma troisième corde et de composer entre la chanterelle et sa voisine une sonate dialoguée qu'il baptisa *Scena amorosa*. Le succès fut si grand qu'il prit l'habitude à la fin de ses concerts, lorsque le public avait été particulièrement chaleureux, de jouer ainsi un dernier morceau et même de le terminer sur la quatrième corde seulement. Je n'ai jamais compris comment il pouvait ainsi porter l'étendue de ma voix jusqu'à trois octaves.

*

Alors que le trio des dévots du violon discutait toujours du rayonnement de la facture italienne ou du danger des restaurations mal conduites, j'écoutais Il Cannone raconter l'existence un peu folle qu'il partageait avec son maître.

— Le succès n'attire toutefois pas que de la bienveillance. Quelques artistes jaloux ont mis plus d'une fois en doute la réalité de ses prodiges, ont critiqué ses talentueuses facéties et ont même accablé mon maître de calomnies. On a dit et on a écrit des choses horribles sur lui. Ses ennemis lui imputèrent des manquements à l'honneur, des actes de brigandage qui l'auraient conduit en prison durant vingt ans et même des crimes absurdes. Tantôt il avait tué sa maîtresse par jalousie, tantôt assassiné un rival durant sa jeunesse orageuse. Le bruit courut même que la quatrième corde dont il tirait les sons miraculeux était constituée des boyaux d'une maîtresse qu'il avait étranglée ! Mon maître avait d'abord ri de ces macabres légendes, ainsi que des lithographies le représentant en pantin ridicule. Il me disait le soir, en me rangeant avec tendresse dans ma boîte capitonnée : « Laissons dire, laissons dire ! Comptons plutôt les ducats que nous rapportent nos concerts. » Les rumeurs continuant d'entretenir la calomnie, Paganini décida cependant de se défendre. Il adressa des démentis aux journaux, publia des lettres de protestation mais ne parvint jamais à dissiper complètement l'aura satanique entretenue autour de lui. Il est vrai que son attitude peut encourager les esprits malfaisants. Vous l'avez vu toujours habillé de noir, flottant sur la scène plus qu'il ne marche. Certains l'ont comparé à un oiseau de proie. À moi-même, il lui est arrivé de faire peur. Personne pourtant n'a jamais mis en doute ses dons fantastiques. S'il semble parfois que le diable prend possession du virtuose, c'est pour le faire jouer comme nul autre ne saurait y arriver.

Et j'étais proche d'être passionnément de son avis.

*

Après les récits pittoresques du Cannone, j'écoutais avec intérêt M. Vuillaume évoquer sa fabrique parisienne.

Il amusa d'abord Dragonetti en lui expliquant qu'il tentait de fabriquer un instrument géant deux fois plus grand qu'une contrebasse, appelé octobasse. Au maître de maison qui lui confiait, en remplissant son verre de liqueur de cassis, qu'il aimerait affronter ce monstre, il répondit qu'il lui faudrait venir à Paris, l'octobasse s'avérant intransportable.

— Je ne sais même pas, ajouta-t-il en riant, si elle sera jouable. En tout cas, elle fera parler d'elle !

J'ai d'ailleurs appris récemment que l'octobasse de M. Vuillaume, haute de trois mètres et demi, était de nos jours exposée au musée de la Musique de Paris comme objet de curiosité. Mais, hélas, je ne l'ai jamais vue ni n'en ai entendu le son.

Opus 2

Le luthier parisien, jugeant fort bien agencé l'atelier installé par Dragonetti, l'utilisa pour réparer ou régler les instruments de quelques-uns de ses clients anglais. Bon apprenti, Dragonetti ne perdit naturellement pas le moindre de ses gestes. C'est à ce moment qu'il décida de construire lui-même un violon, projet qui l'occupa le reste de sa vie mais qu'il ne mena jamais à bien.

Vuillaume demanda de son côté à Paganini la permission de réaliser une copie de son illustre Canon. Le virtuose Italien n'était pas contre mais, rappelé à Rome pour un concert, il dut quitter Londres précipitamment. Le luthier eut donc seulement le temps de dessiner le Guarneri, d'en prendre les mesures et d'en noter les particularités.

— À Paris, si les hasards de la vie le permettent, je pourrai vous le confier durant quelques jours, avança Paganini en bouclant sa malle, une politesse qui n'engageait évidemment à rien.

*

Et pourtant l'année suivante, je l'apprendrai plus tard, le cocher que Paganini employait durant ses séjours dans la capitale française fut responsable d'une véritable catastrophe. Il lâcha sur le pavé l'étui contenant Il Cannone et mon pauvre ami fut ramassé blessé, la touche fendue, les coins abîmés, le fond éraflé. Une visite chez le luthier s'imposa. C'est ainsi que Vuillaume, appelé à réparer le Guarneri de Paganini, eut tout loisir d'en tirer une belle copie. Ce violon, qui a tout d'un del Gesù mais n'en est pas un, est conservé à Gênes dans la même vitrine que son illustre modèle. Quant à ses qualités musicales, je les ignore... et n'en donne pas forcément cher.

Opus 3

Paganini et Vuillaume partis, la maison de Leicester Square retrouva son calme.

Un peu à notre désespoir. Car si nous avons, nous, violons, le même respect pour les luthiers que les humains pour leurs médecins, l'absence du virtuose, de l'aigle du concerto, du prodige aux doigts agiles, nous peina davantage. S'il m'avait joué le plus souvent, mon frère Drago avait goûté à son toucher inspiré et même les cordes de Fleur conservaient le souvenir sensuel de ses caresses. Au fond de lui, chacun avait ses raisons de regretter le départ de l'Italien.

Et une petite brisure au cœur de notre âme.

*

Le génie avait hanté durant quelques semaines le salon de musique de Dragonetti mais, échappé dans une dernière sonate, il laissait le contrebassiste esseulé devant les vitrines où nous languissions. Certes, il y a pire pour des violons que de vivre dans la dévotion d'un amateur débonnaire et M. Dragonetti, d'ailleurs, avait le don d'attirer chez lui les personnages les plus captivants, les amateurs les plus savants, les talents les plus subtils. Mais qui succéderait à l'incomparable Paganini ?

J'espérais que la prochaine visite ne se ferait pas trop attendre. Je pensais à de grands compositeurs comme Auber ou Cherubini dont Paganini avait fait l'éloge.

*

Après avoir longtemps patienté, ce n'est pourtant pas la barbe d'un compositeur français qui vint nous surprendre mais une frêle fillette. Elle était accompagnée par un homme à l'allure un peu fruste qui lâchait avec peine et un fort accent italien les quelques mots d'anglais qu'il connaissait.

Dragonetti, occupé à vérifier la tension des crins d'un archet pour contrebasse, lui expliqua, comme autrefois à Tarisio, qu'il pouvait s'exprimer en italien. Le visiteur raconta qu'il était le père de Teresa, jeune prodige ayant commencé à neuf ans une carrière de virtuose en Italie avant de triompher à Paris. Pour l'attester, il était porteur d'une lettre d'Hector Berlioz que mon maître avait naguère rencontré en France. Comme s'il était sûr que nous le comprenions, il lut à haute voix la missive :

« Cher monsieur Dragonetti. Je vous prie de recevoir et surtout d'écouter jouer la jeune Teresa Milanollo qui vient à peine de dépasser sa treizième année. Elle a enthousiasmé les auditeurs de la salle des concerts du Conservatoire en interprétant Bach, Haendel et les *Variations sur "Carnaval de Venise"* de Paganini. À la dernière mesure, une acclamation, un cri, un hourra souleva la salle, repris en écho par les musiciens de l'orchestre. Elle ne peut qu'être bien accueillie par le public connaisseur de l'Angleterre. Je vous remercie de la diriger vers les gens susceptibles de l'engager... »

— Eh bien, s'écria Dragonetti, une telle recommanda-
tion du grand Berlioz ne peut me faire hésiter. C'est à sir
Beatens en personne, mon ami et directeur de Covent Garden, que je vous enverrai. Mais avant, je veux goûter le
plaisir de vous entendre jouer, jeune fille. Je vois que vous
n'avez pas apporté votre violon. J'en ai quelques-uns
excellents. Choisissez celui qu'il vous plaira.

Opus 4

Teresa ! Un rayon de soleil éclaira le salon de musique, lugubre quand le brouillard envahissait la ville. Elle était jolie, souriante et, malgré sa fragilité, paraissait un peu plus que les quatorze ans annoncés par M. Berlioz. À la manière dont elle regarda les instruments alignés sur leur velours, on devinait que pour elle le violon n'était ni un jeu d'enfant, ni un passe-temps de demoiselle. Ses yeux, dont je discernais mal la couleur, proche du vert sans doute, se fixaient là où il convenait afin de juger des qualités d'un violon. Ma volute, belle il est vrai, sembla retenir son attention. Et c'est moi qu'elle désigna d'un index dont je remarquai d'emblée la fermeté.

*

Une fois de plus j'étais l'élu, celui qu'on distinguait lorsqu'il fallait choisir le meilleur. J'évitai de regarder mon frère dont j'imaginais la déception mais quoi ! je ne pouvais qu'être heureux de sa décision, fierté renforcée quand Dragonetti exprima ce jugement délicieux :

— Vous ne vous trompez pas, mademoiselle. Viotti, le grand virtuose qui l'a joué longtemps, lui a donné son nom. Il est le plus beau bijou de ma collection. C'est un Stradivarius de 1720 magnifiquement conservé. La finesse et la profondeur de sa sonorité devraient vous convenir.

Teresa rougit, mais, tout de suite, se comporta en professionnelle :

— Je peux ? demanda-t-elle en me désignant à nouveau.

C'est un homme ravi qui lui répondit :

— Mademoiselle, mon Viotti vous attend. La dernière personne qui l'a joué est Paganini lui-même. Avez-vous déjà écouté ce prodigieux violoniste ?

— Une fois. J'étais encore une toute petite fille et je l'ai entendu à Turin. Cette audition, et aussi un solo de violon interprété au cours d'une messe, m'ont tellement remuée que j'ai supplié papa de m'offrir un violon et de me faire apprendre la musique.

Elle eut à ce moment un regard tendre à l'adresse de son père. Je me dis que Teresa ne manquait pas de cœur et que nous ferions sans doute bon ménage.

*

M. Milanollo, content de pouvoir parler l'italien, sourit :

— Nous n'étions pas riches, je fabriquais alors des moulins à soie à Savigliano, une petite ville du Piémont, mais sa maman et moi avons exaucé ses désirs. Le maître de musique de la ville lui donna ses premières leçons et nous dit bientôt que Teresa, qui avait alors six ans, était tellement douée qu'il importait de lui trouver un vrai professeur. Nous déménageâmes à Turin où Giovanni Ferrero, le premier violon du roi, métamorphosa notre petite fille, en moins de deux ans, en virtuose capable de jouer en concert, ce qu'elle fit pour la première fois à Mondovi où le théâtre rempli lui témoigna son admiration.

Il s'arrêta un instant, observa Teresa avec affection et lui demanda :

— Te rappelles-tu ce que tu as joué ce jour-là ?

— Bien sûr, père chéri. C'était une sonate pour violon. Madame Rossi m'accompagnait au clavecin.

Elle avait dit cela d'un ton serein, en ouvrant grands ses yeux, comme si elle s'étonnait qu'on trouve surprenant qu'une gamine de huit ans joue avec brio Vivaldi devant des centaines d'auditeurs.

Le père sourit et continua :

— Son professeur nous conseilla alors d'accompagner Teresa en France. Nous arrivâmes démunis et exténués à Marseille avec pour tout espoir les dons exceptionnels d'une petite fille. Teresa donna quatre concerts et fit une très vive impression. Après survinrent Paris, la rencontre avec le grand violoniste Charles-Philippe Lafont qui la prit sous son aile et la fit jouer cinq fois à l'Opéra-Comique avant de l'emmener en Belgique et en Hollande avec sa tournée. On l'a entendue à La Haye jouer devant le prince d'Orange qui lui a offert un diamant, son premier bijou. Mais le bijou, c'est elle. Elle nous a sauvés de la pauvreté et fait maintenant vivre la famille. Mais je parle, je parle... Écoutons-la plutôt !

Opus 5

Tandis que M. Milanollo racontait son histoire, Teresa m'avait enlevé de la vitrine et me regardait. Elle faisait tinter mes cordes de son petit pouce dur et ferme, m'éloignait d'elle pour se rendre compte de la hauteur des voûtes, caressait les veines serrées de mon dos, m'examinait avec une attention qu'on sentait inquiète. J'aurais voulu lui dire que tous les violonistes, y compris les plus grands, avaient éprouvé la même appréhension avant de me jouer pour la première fois, l'assurer que, malgré mon nom, j'étais un violon comme les autres.

*

En choisissant son archet – il y en avait un plus court dans la collection de Dragonetti –, Teresa, grave et réfléchie, raconta de sa petite voix flûtée mais assurée :

— Monsieur Lafont disait qu'il rêvait de posséder un Stradivarius, le meilleur violon du monde, et qu'il espérait pouvoir réaliser son rêve avant de mourir. Jamais je ne pensais que l'occasion me serait offerte de jouer l'un de ces instruments légendaires.

Ces préliminaires, hommage rendu à ses violons qu'il aimait prêter, faisaient partie d'un rituel qui plongeait à chaque fois Dragonetti dans le ravissement.

— Allez, mademoiselle. J'attends avec impatience les premiers sons que vous allez nous modeler de vos doigts agiles. À propos, qu'allez-vous jouer ?

C'est aussi la question qui me taraudait. Allait-elle choisir un morceau que je connaissais ?

Teresa me rassura :

— Je vais vous interpréter la *Vingtième Variation* de Paganini.

Dragonetti exulta :

— Paganini les a toutes jouées ici il n'y a pas longtemps.

*

Passer de la main puissante, presque agressive, de Paganini à la menotte de Teresa me procura une curieuse sensation. J'ai tellement d'expérience que je pressens la manière de jouer d'un nouvel artiste. Or, je sus tout de suite que je n'aurais aucune difficulté à assimiler celle de Teresa. Une chose pourtant me surprit. Je craignais un manque de vigueur dans l'interprétation d'un mouvement qui, sans être endiablé, était vif mais la fragile jeune fille révéla en s'exprimant une force insoupçonnable. Elle enleva sa variation avec une maestria, certes moins exubérante que celle de Paganini, mais intense et professionnelle.

Dragonetti, subjugué, s'écria :

— Magnifique, mademoiselle ! Si vous le voulez, et en pensée avec le message que voulait incidemment me passer Berlioz, je vous prête mon violon durant le temps où vous serez en Angleterre ! Et j'espère pouvoir vous entendre bientôt à Covent Garden ou au King's Theatre.

L'éclat dans les yeux de ma nouvelle interprète prouvait qu'il lui avait offert le plus beau des cadeaux.

Opus 6

C'est au King's que Teresa Milanollo fit ses débuts à Londres, débuts salués avec enthousiasme par les gazettes. À tel point que sa gracieuse silhouette et ses cheveux noirs tirés sur son visage sérieux devinrent familiers aux Londoniens. Partout, on voyait publier des gravures de la frêle jeune fille capable de mieux jouer que les plus célèbres solistes.

*

Teresa aimait voir apprécié son talent, sa sensibilité et sa technique, mais détestait qu'on la prenne pour un phénomène et qu'on compare son jeu à celui de ses homologues masculins. Personne, il est vrai, chez les grands concertistes et les musiciens professionnels ne la bouda. Au contraire, ce fut à qui lui livrerait des conseils. À commencer par le violoniste et compositeur Nicolas Mori, soliste du King's Theatre et de l'orchestre philharmonique de Londres, qui lui-même avait été un enfant prodige.

*

Avec quel bonheur, j'ai retrouvé, contre son cou de cygne, l'habitude des grands concerts londoniens. Je n'oublierai jamais le jour où Teresa joua avec le grand violoniste Mori une symphonie concertante applaudie par toute la salle ! Les larmes que l'enfant ne put retenir ce soir-là, après son triomphe, ont laissé en séchant de minuscules taches sur mon vernis, grains de beauté dont je suis seul à connaître l'existence.

J'avais peu voyagé dans le royaume au temps de Viotti et Paganini préférait emporter son Cannone en tournée. C'est donc elle qui me fit connaître Liverpool et Plymouth. En sa compagnie, je fis un périple au Pays de Galles. Une tournée artistique réussie, mais au final désastreux. Car son père, hélas, avait fait confiance à un harpiste célèbre, Bochsa, qui pour être virtuose n'en était pas moins malhonnête. J'avais raison de le détester. Il fit participer Teresa à quarante concerts qui rapportèrent beaucoup d'argent... et partit avec la caisse.

*

Cette mésaventure affecta beaucoup Teresa, et c'est une adolescente épuisée physiquement et moralement qui prit congé de Londres et de Dragonetti.

Elle pleura et embrassa mon cordier avant de me ranger dans la vitrine. Moi-même, un frisson parcourut mes cordes à la perspective de la savoir s'en aller. La reverrais-je seulement un jour ?

Opus 7

Nous eûmes heureusement de ses nouvelles quelques mois plus tard par le maître Habeneck, le meilleur chef d'orchestre d'Europe, venu à Londres acheter un Amati à Hill et qui, bien entendu, n'avait pas manqué de nous rendre visite.

— Figurez-vous qu'il n'y a plus une Milanollo mais deux, nous dit-il sans préambule. La petite sœur de Teresa, Maria, âgée de six ans de moins qu'elle, s'est révélée aussi douée, peut-être plus, que son aînée. Je lui ai donné des leçons et maintenant elles se produisent ensemble à travers l'Europe. Vous allez sûrement les voir arriver à Londres un prochain jour, Teresa rêvant de pouvoir rejouer un Stradivarius paraît-il extraordinaire, le Viotti.

— C'est lui ! clama fièrement Dragonetti en me montrant. Viotti est venu avec et l'a utilisé jusqu'à sa mort. Paganini l'a joué aussi. Et Teresa a formé avec lui un couple parfait. Ils sont faits l'un pour l'autre. J'ai failli lui dire de l'emporter à Paris, mais comment priver ma collection de sa pièce royale ? Car mon Viotti a servi chez les princes allemands et à la cour de France avant d'arriver chez moi. Tenez, prenez-le et jouez si vous en avez envie.

*

Habeneck ne se fit pas prier et j'ajoutai son nom à mon prestigieux palmarès. Hélas, pressé, il ne donna pas de concert à Londres et j'en fus navré. J'aimerais un jour le voir à la tête de l'orchestre de la Société du Conservatoire qu'il a fondé et qui compte, paraît-il, quatre-vingts musiciens et soixante choristes. Pour l'heure, je me suis contenté de boire ses paroles lorsqu'il nous a raconté la première exécution parisienne de la *Neuvième Symphonie* de Beethoven qu'il a dirigée non avec une baguette mais avec un archet de violon. C'est un personnage étonnant qui vous parle avec familiarité de tous les grands compositeurs qu'il a connus, Beethoven, Mendelssohn ou Wagner.

Pour répondre à la curiosité de Dragonetti, Habeneck nous confia aussi combien la jeune Maria était appréciée du public. Jouant avec sa sœur aînée, virtuose affirmée, elle avait réussi à faire valoir sa personnalité, ajoutant au phrasé chaleureux de Teresa sa propre brillance incisive. Un critique leur a donné les sobriquets respectifs de Mlle Adagio et Mlle Staccato.

*

J'avais une forte envie de revoir Teresa si aimable à mon égard, et encore plus de connaître Maria. J'espérais que les deux sœurs qui parcouraient l'Europe un violon à la main passeraient sans tarder par notre maison. Je parlais à mon frère de cette éventualité et, une nouvelle flamme dans la voix, il avança que la petite sœur pourrait l'adopter, qu'ainsi nous serions joués ensemble en concert, ce qui n'était arrivé qu'une fois avec des amateurs amis de Dragonetti. Je lui rétorquai que Maria n'avait pas dix ans et ne pouvait se servir que d'un violon à sa taille. Ma réponse, un peu maladroite je l'admets, lui fit de la peine. Mais fallait-il le laisser se bercer de rêves impossibles à assouvir ?

ONZIÈME LIVRET

Le Messie

Opus 1

Habeneck avait raison. La famille Milanollo débarqua un jour à Leicester Square. La *mamma* elle-même était présente pour rectifier le ruban rose noué dans les cheveux de ses filles attifées, malgré leurs années d'écart, de robes bleues identiques à plis serrés. Elles portaient les mêmes bas blancs, les mêmes souliers vernis et cette similitude produisait un curieux effet : l'une semblait habillée au-dessus de son âge et la plus grande comme une enfant. Cela dit, elles étaient mignonnes et j'avais hâte de retrouver sur ma touche les doigts fins de Teresa.

Ce fut chose faite dans l'heure qui suivit. Elle joua d'abord seule une variation de Paganini sur la canzonetta *Oh Mamma, mamma* puis les deux sœurs interprétèrent quelques-uns des *Capricci*. Je n'aime pas trop participer à un duo mais, là, en compagnie de mon frère, ce fut un délice. Et je compris pourquoi les sœurs Milanollo faisaient frémir les salles de musique partout en Europe.

*

Pour le moment, après avoir conquis le public si difficile de Vienne où elles avaient donné un concert avec le fameux orchestre philharmonique, elles venaient de Paris, où elles avaient obtenu un triomphe à Pleyel avant d'être invitées à jouer à Neuilly devant la famille royale. Leur tournée avait fait salle comble à Rennes, Nantes, Rochefort. Teresa et Maria durent assurer douze représentations à Bordeaux pour satisfaire les demandes de mélomanes curieux d'entendre ces prodiges portés aux nues par une critique enthousiaste.

M. Milanollo, fier de nous conter par le menu les prouesses de ses filles, tenait le journal de ces succès ininterrompus et tint à lire à Dragonetti l'article dithyrambique du critique autrichien de l'*Humorist*, d'ordinaire réputé pour sa sévérité : « Imaginez le parfum des roses en musique. Représentez-vous l'aurore changée en notes et vous vous ferez une idée de ce que chantent Teresa et Maria sur leur violon. »

*

Fleur, plus que nous encore, était contente de l'arrivée des deux filles, la plus jeune ayant tout de suite remarqué la beauté de notre compagne et demandé la permission de l'essayer.

— C'est sur une guitare, dit-elle, que j'ai commencé à taquiner les cordes et c'est en m'écoutant que Teresa a dit que j'avais la musique dans les veines et qu'il fallait que j'apprenne le violon. Mais j'adore toujours jouer de la guitare et celle-ci est magnifique.

Ainsi, Fleur retrouva sous les petits doigts de Maria la pureté cristalline de sa sonorité. Même mon frère le ronchon jugea ce moment délicieux.

Opus 2

J e repris donc avec la famille Milanollo l'agréable pratique des concerts londoniens, des voyages sur les routes du Hampshire et du Pays de Galles et du plaisir de gagner dans chaque ville l'admiration d'un nouveau public.

Parfois M. Dragonetti nous accompagnait et son nom au programme constituait un autre gage de succès car ses récitals de contrebasse attiraient toujours. Pourtant, ils étaient réservés aux concerts proches, le volume de l'instrument transformant les déplacements en véritables expéditions. En outre, force était d'en convenir, Dragonetti prenait de l'âge : il venait de fêter son soixante-quinzième anniversaire et préférait la quiétude de sa belle maison et l'entretien de sa collection aux périples épuisants, fussent-ils parsemés de vivats.

*

L'engouement du public pour les deux sœurs fut immédiat et coïncida avec l'arrivée à Londres de Johann Strauss, chef et compositeur viennois qui, après avoir envahi Paris avec son orchestre de vingt-huit musiciens, remporta en Angleterre un succès comparable. Johann Strauss ne jouait ni Haendel ni Paganini mais ses propres compositions, des valses, des marches, des cotillons et des contredanses qui enchantaient tout Londres, même l'austère coterie des puristes. Dès lors, il devint tout naturellement un familier de la maison.

Je me rappelle ainsi les folles soirées où il prenait mon frère à son menton tandis que Dragonetti enfourchait sa plus grosse contrebasse. Tous deux entraînaient les sœurs et Fleur, jouée allègrement par une certaine dame Émilie, dans de furieux galops. L'ami Lindley participait inévitablement à la fête. J'ai depuis entendu à bien des reprises interpréter le morceau que nous préférions : la *Marche de Radetzky*. Je l'ai même jouée à Boston, dans je ne sais plus quel orchestre. Chaque fois, j'ai ressenti mes fibres frémir. Il y a heureusement pour un violon des souvenirs qui ne s'estompent jamais.

*

Le départ, prévu et prévisible, de Johann Strauss laissa un grand vide dans la maison. Les adieux, comme à l'habitude, furent touchants puisqu'il embrassa le vieux Dragonetti en lui jurant de revenir bientôt :

— Si ce n'est moi, ce sera mon fils aîné. On l'appelle Johann Strauss II. Si je suis le « père de la valse », il en est le roi !

Mais l'homme du Danube ne réapparut jamais, décédé de la fièvre scarlatine attrapée de l'un de ses enfants.

Opus 3

Heureusement, à Leicester Square, un visiteur remplace sans trop attendre celui qui s'en va. Là, un revenant surgit : signor Luigi Tarisio en personne !

Cette fois, le traqueur de violons n'était plus vêtu comme un vagabond. Sans doute passé au préalable chez les marchands de Covent Garden, il s'était habillé « à l'anglaise », tout du moins le croyait-il car aucun Londonien n'aurait approuvé le mariage audacieux de sa veste de tweed et d'un pantalon noir de cérémonie. Il avait aussi abandonné son vieux sac de toile, remplacé par un bagage de cuir rouge qu'il déposa sur la table à violons où j'attendais que Dragonetti vienne me toiletter de son plumeau d'aigrettes.

*

Il salua bien bas le maître de maison, lança un regard connaisseur sur ma personne et lança tout de go :

— Celui-là, je vous l'échange contre deux surprises qui sont dans mon paquetage.

J'aurais voulu crier, faire éclater mon cordier, m'ouvrir comme lorsque le luthier détache la table, tant l'idée d'être cédé à ce fou qui m'aurait trimballé sur les routes avant de me revendre à je ne sais qui, me révulsait. Le gros rire de Dragonetti me rassura :

— Vous voulez mon Viotti ? Le fleuron de ma collection ? Celui dont je suis le plus fier ? Si je vous l'échangeais, ce ne pourrait être que contre le fameux Stradivarius dont vous parlez à tout le monde et que vous ne montrez jamais. Est-il dans votre bagage ?

J'eus de nouveau très peur mais la réponse de Tarisio me tranquillisa :

— J'ai en effet acheté à une vieille Vénitienne ruinée qui l'avait reçu en héritage ce violon unique de 1715 que Stradivarius a toujours refusé de vendre et qu'il a conservé jusqu'à sa mort. Le comte Cozio di Salabue l'a acquis avant qu'il devienne la propriété d'un amateur de Venise. C'est beaucoup pour posséder cette merveille que j'ai parcouru l'Italie dans tous les sens durant vingt ans. Maintenant que ce trésor est à moi, bien caché dans un étui fatigué au milieu de dizaines d'autres violons sans valeur, vous pensez bien que je ne vais pas m'en séparer !

— Pourquoi alors continuer vos harassantes recherches, vos bricolages et tous ces voyages si vous avez atteint le but de votre vie ? demanda Dragonetti avant d'ajouter : Je vais vous la dire, moi, cette raison. Vous êtes comme moi, comme Cozio, comme Vuillaume et même comme Hill qui est commerçant mais d'abord luthier, un fou de violon. Les trois lettres I H S surmontées de la croix, entrevues sur une étiquette à travers l'ouïe gauche, vous font battre le cœur. Vous n'avez de cesse d'examiner ce Guarnerius, de le toucher, de le faire sonner pour vérifier si ses cordes sont en état. Un Stradivarius, à la seule vue de sa volute, vous procure une joie ineffable. C'est de cela dont vous ne pouvez pas vous passer !

— Vous avez raison, monsieur Dragonetti. La passion pour cet étrange instrument est obsédante mais, voyez-vous, être le propriétaire du plus beau Stradivarius du monde fait de moi un homme heureux ! Maintenant, voulez-vous voir ce que j'ai dans mon sac ?

— Naturellement ! rit Dragonetti. Mais nous montrerez-vous un jour... Tiens, appelons-le « le Messie », ce violon que l'on attend toujours et qu'on ne voit jamais ?

« Le Messie ». Ce mot m'a frappé. Il a son importance puisque l'instrument de Tarisio, après maintes aventures que je vous conterai un jour, conservera ce nom dans la grande légende du violon.

Opus 4

En sautillant, car ses chaussures neuves devaient lui faire mal, M. Luigi retira délicatement de sa mallette, avec un art consommé de comédien, le premier des instruments qu'elle contenait :

— Devinerez-vous de qui est ce jaune d'or de belle facture ?

Dragonetti parut embarrassé. Il prit le violon, le soupesa, inspecta les coins et la volute, fit briller le vernis au rai de lumière qui filtrait de la fenêtre. Beau joueur, il s'abstint de regarder au travers de l'ouïe pour découvrir si une étiquette n'était pas collée au fond de la caisse et finit par dire :

— Cela ressemble à un Amati, mais ce n'est pas un Amati. N'est-ce pas un violon que vous auriez reconstitué avec les pièces demeurées saines d'instruments délabrés ? Je connais votre habileté à utiliser les restes !

Luigi Tarisio parut offusqué :

— Cela m'arrive en effet, mais comment pouvez-vous penser que je puisse proposer de tels violons au plus grand expert du monde ? Non, celui que vous tenez est l'œuvre d'un grand luthier pas encore représenté dans votre collection.

Dragonetti demeurait perplexe. Moi, je m'amusais de voir celui qui se flattait de découvrir d'un coup d'œil le créateur et l'année d'un violon, obligé de reconnaître son impuissance face à un interlocuteur goguenard.

— Ce violon n'est pas un italien, j'en mettrais ma main au feu. Le luthier s'est pourtant inspiré d'Amati... Allez, monsieur Luigi, ne me faites pas languir.

— C'est un Jacob Stainer ! Un luthier allemand pas encore apprécié à sa juste valeur, mais à tort. Essayez son violon. Il sonne aussi bien que certains Guarnerius et Stradivarius.

*

Dragonetti, en général très poli, pesta comme un charretier dans sa langue natale. Je crus l'entendre jurer « *Puttana della Santa Barbara !* » Puis, calmé, il se reprocha de n'avoir pas trouvé l'auteur du violon qui brillait à côté de moi comme un soleil :

— C'est incroyable. Je connais les Jacob Stainer, leur forme plus étroite, plus courte, leurs vernis étincelants. Hill en a négocié deux l'année dernière. Et là, je n'ai rien vu ! Je m'étais juré de ne plus rien acheter mais je dois réparer mon erreur. Si nous nous mettons d'accord sur le prix, votre Stainer aura l'honneur de figurer dans ma collection.

Je n'aimais pas trop les nouveaux venus, tant, durant toute une période, il n'y en eut que pour eux. Dragonetti les jouait, les montrait, vantait leurs qualités et c'était comme si nous n'existions plus. Heureusement, le dernier arrivé avait eu une vie mouvementée, comme celle de son facteur Jacob Stainer, et de nombreuses choses à raconter. Il avait séjourné à Hall, à Salzbourg, à Venise, à Milan avant d'être découvert par Tarisio chez un fripier du Trentin. Enfin, c'était un bon garçon et son accent germanique nous sortait du jabotage italien.

Opus 5

ais revenons à nos violons. Tarisio n'avait encore montré que le Stainer rouquin. Quelle surprise gardait-il encore dans son sac ? Il ne se pressait pas et laissait le vieux Dragonetti se ronger d'impatience. Enfin, après avoir été menacé d'être flanqué à la porte s'il continuait à se moquer, il retira de son bagage un curieux instrument. Je n'avais jamais rien vu de pareil ni dans les orchestres ni chez les luthiers, ni même chez mon père. Et je fus surpris lorsque Tarisio annonça :

— Que dites-vous de ce luth ?

*

J'avais du mal à croire que cette sorte de mandoline rebondie et assez grossièrement construite avait conféré son nom à la noble corporation des luthiers.

Je n'aurais pas donné un sou pour une pareille chose mais, à mon grand étonnement, Dragonetti sembla aussi intéressé que si Tarisio avait brandi son fameux Messie. La surprise rendit même le maître éloquent.

— Un luth, un luth ! Où avez-vous trouvé cet ancêtre qui eut son heure de vogue lorsque les chevaliers le jouaient au château devant leurs dames de cœur ? On n'en rencontre plus que sur des tapisseries ou des tableaux anciens. J'ai hâte de pincer les cordes de celui-ci, dodu et verni comme une oie rôtie !

Avant cet essai que je redoutais un peu, car Dragonetti n'avait jamais réussi à tirer la moindre note convenable de Fleur, il scruta le luth sous toutes les coutures, compta les éclisses – il y en avait neuf – qui constituaient le ventre et sembla captivé.

Tarisio, lui, ne dissimulait pas la satisfaction de son effet :

— Alors ? Qu'en dites-vous, monsieur Dragonetti ? Je connais dix amateurs prêts à mettre une fortune pour acquérir ce rescapé de la guerre des cordes pincées, mais je vous le propose en premier car d'abord votre collection est un petit peu la mienne, et qu'ensuite vous êtes mon ami.

*

Il s'ensuivit une longue discussion. Je ne saisis pas pourquoi ils écrivaient des chiffres sur des morceaux de papier qu'ils pliaient et s'échangeaient, mais je compris le marché conclu lorsqu'ils finirent par se serrer la main. Notre famille allait s'agrandir d'un Stainer rouquin et d'un luth obèse. Comme tous les nouveaux venus, ils eurent droit à des places d'honneur dans la vitrine et le violon de Maggini ne cacha pas sa mauvaise humeur. En fait, cet enfant de Brescia sonnait petitement et ne méritait pas d'égard particulier, mais son accès de caractère ne me surprit pas. Moi-même, parfois, j'en étais victime.

*

Tarisio repartit comme il était venu, en boitillant et en souriant. Non sans avoir évidemment reparlé de son fameux Messie.

— Je vous le montrerais bien mais j'ai peur de trimballer une telle richesse au cours d'un si long voyage. Venez plutôt le voir chez moi à Milan. Vous ne serez pas déçu.

Dragonetti sourit. Je crois bien qu'il n'a jamais cru à l'existence du Messie. Et pourtant...

Opus 6

Nous revîmes souvent M. Vuillaume. Le luthier français aimait Londres. Et comme il se trouvait en rapport d'affaires avec son confrère Henry Lockey Hill, son port d'attache était naturellement la maison de Leicester Square. C'est durant l'un de ses séjours qu'un événement inattendu et pénible me bouleversa.

*

Un soir, les deux amis devisaient en buvant un whisky, cette liqueur écossaise dont Vuillaume appréciait le goût légèrement fumé et la couleur ambre qui, disait-il, arborait exactement le ton du Lady Blunt, un Stradivarius en cours de restauration. Le cabinet de musique était bien chauffé, l'atmosphère douceâtre et favorable aux confidences. Je somnolais dans ma niche de velours ne craignant aucun éclat ou rebondissement quand Dragonetti se leva brusquement pour aller prendre mon frère. Et, sans autre forme de prudence ni de considération pour lui, il le tendit au luthier avec une vigueur inhabituelle :

— À combien évaluez-vous ce Stradivarius ? À Paris comme à Londres, les violons à l'étiquette du maître de Crémone sont de plus en plus recherchés.

Je me demandais où mon maître désirait en venir. Il venait d'acquérir un Stainer et n'allait tout de même pas, bien qu'il ne l'avait jamais beaucoup aimé, céder le Stradivarius portant son nom ! J'avais tort. Ou plutôt raison de me méfier des lubies du collectionneur, lequel en avançant en âge, avait parfois des réactions inattendues. À mon grand désespoir, mon frère fut vendu ce soir-là, en deux temps et trois mouvements, contre trois cents guinées, sans même quelques secondes pour nous faire nos adieux. En outre, j'ai ensuite appris par Lindley, vieil ami du maître, que le luthier parisien s'était rapidement défait de Drago avec un joli bénéfice à un certain Rivaz, violoniste amateur et collectionneur trop heureux de compléter son quatuor de Stradivarius composé, entre autres, du célèbre alto « Archinto ».

*

Même si parfois mon frère m'horripilait, son départ précipité me consterna. D'autant que Dragonetti rangea à sa place le Stainer pour lequel j'éprouvais une profonde antipathie. Je me suis consolé en imaginant que mon frère allait sûrement être joué régulièrement et que, pour lui, ce départ relevait de l'aubaine.

Je ne l'ai en fait revu que beaucoup plus tard. C'était à Pleyel, la salle parisienne. Il était entre les mains d'Alfred Campoli, un virtuose romain qui en avait fait son instrument de concert. Nous ne nous sommes hélas que croisés et n'avons pu nous conter par le menu les péripéties survenues depuis la séparation.

J'aurais pourtant aimé qu'il m'évoque en particulier une opération qu'il avait subie, comme beaucoup de nos parents de Crémone. On parlait en effet beaucoup dans les orchestres du remplacement des manches des anciens violons italiens, et Vuillaume avait allongé celui de mon frère pour faciliter sa tenue et le doter d'une touche plus étendue. Je savais, comme mes confrères Stradivari, que je vivais sous la menace d'une telle intervention. Il suffisait que l'un de mes prochains propriétaires cédât à la mode pour qu'on mutile le manche sculpté par notre père. Un crime de lèse-majesté et une totale hérésie selon moi. Que dirait un musicien qui gagne sa vie en faisant vibrer nos cordes si on l'obligeait de son côté à subir une opération chirurgicale destinée à étirer son bras pour lui permettre d'approcher le registre de Paganini ?

Les luthiers devraient avoir la dignité de respecter le travail de leurs anciens, les créateurs historiques.

Opus 7

Était-ce le regret de s'être séparé de mon frère ?

Dragonetti se désintéressa quelque peu de sa collection pour renouer plus intensément avec la contrebasse. Il avait installé sa préférée au milieu du cabinet, celle de Gasparo da Salo, dont il aimait rappeler l'année de sa construction, 1590. Miracle, en revenant à ses vraies amours, il ne se plaignit plus des douleurs au ventre qui le faisaient souffrir. En quelques jours, il retrouva même la virtuosité et la vigueur du temps où il avait imposé en Angleterre la contrebasse comme instrument soliste.

*

En fait, nous l'apprîmes lors d'une conversation avec Robert Lindley, la proposition lui avait été faite de participer à Bonn à l'inauguration du monument du centenaire de Beethoven. Sa mission ? Diriger le pupitre des contrebasses dans la *Symphonie en ut mineur*. Une véritable consécration pour Domenico, une offre impossible à décliner pour un passionné ayant consacré toute sa vie à la musique. « C'est le Paganini de la contrebasse que nous invitons », lui écrivait avec un sens de la flatterie efficace le burgmeister de la ville natale du grand compositeur.

Comment résister ?

Seule la perspective d'un voyage épuisant et la maladie pouvaient obliger Dragonetti à refuser. Mais l'ami Lindley sut le convaincre :

— Mon cher, devrais-tu aller à dos d'âne jusqu'à Bonn, tu feras ce voyage en hommage à Beethoven qui t'a jadis reçu à Vienne et t'a embrassé après avoir interprété avec toi la *Deuxième Sonate pour violoncelle*. Crois-moi, ta place est là-bas. C'est à toi que revient l'honneur de faire rugir les basses dans la *Cinquième Symphonie* !

*

Le cabinet de musique retrouva alors une animation intense. Levé de bonne heure, Dragonetti, rajeuni, ne s'attardait plus dans son atelier mais rejoignait sur-le-champ sa contrebasse qu'il réveillait de coups d'archet frénétiques, fort du précepte que si le violon demande de la douceur, la contrebasse se plaît aux attaques brutales. Il n'abusait tout de même pas de sa force et ménageait sa vieille amie.

Parallèlement, il avait chargé Vincent Novello, l'éditeur de musique londonien, de lui fournir la partition de la *Symphonie en ut mineur*, ce qui lui permit de répéter à longueur de journée. Reste que l'œuvre de Beethoven, réduite en solo de contrebasse, prenait une tournure bizarre !

Comme Dragonetti voulait voyager dans les meilleures conditions de confort possibles, il avait commandé au voiturier du roi – avec l'argent de la vente de mon frère, pensai-je – une berline à deux chevaux bien suspendue et capitonnée de velours rouge. Autant de préparatifs qui le stimulaient. Et si le maître proférait souvent que cette excursion à Bonn relevait de la pure folie, il voyait la date de départ approcher sans appréhension apparente. Il avait même décidé Lindley à l'accompagner, perspective ayant eu raison de ses ultimes réticences.

*

Début avril, les malles étaient donc prêtes et le fidèle Tom, valet promu cocher de l'équipée, astiquait la berline que venait de livrer la maison Simons & Simons. S'il ne pouvait être question d'emporter la grosse contrebasse de Gasparo da Salo, Lindley avait demandé à me jouer à Bonn où il devait occuper une chaise de deuxième violon. Sans être un grand virtuose, il savait tirer parti d'un bon instrument. Son coup d'archet délicat me convenait et j'étais ravi d'être du voyage. Sans savoir que rien n'irait comme prévu.

Opus 8

Le sort en décida en effet autrement.

L'hydropisie qui avait fait souffrir mon maître durant des mois et qui semblait guérie au point de lui permettre d'entreprendre le périple vers la Rhénanie se réveilla subitement. Le valet trouva un matin Dragonetti à demi étouffé dans son lit. De toute urgence, la maison en proie à une vive inquiétude fit appel à un luthier pour humains, le docteur Smith, lequel prescrivit de puissants purgatifs. Le lendemain, il ajouta de l'extrait de genévrier, une sorte de vernis rougeâtre destiné à stimuler, professait-il, l'action des reins. Mais le meilleur des luthiers ne peut ranimer un violon rongé par les vers. Et le grand Antonio Dragonetti mourut un vendredi de 1846, en fin d'après-midi, dans sa maison du 4, Leicester Square.

Quelques heures avant cette disparition dramatique, j'avais eu la consolation de voir mon maître une dernière fois. Il était étendu sur un sofa et avait demandé à ses amis Tolbecque, Sivori, Lucas et Lindley d'interpréter le *Quatuor en la mineur* de Beethoven. Lindley me joua en pleurant. Avant qu'on ne me range à ma place habituelle, j'entendis M. Dragonetti murmurer :

— Assis à l'écart, je vois mon père et ma mère venir m'embrasser...

*

Nous les violons, les altos, les violoncelles, les contrebasses, Fleur la guitare et les autres instruments de la collection n'eûmes confirmation de son décès que tard dans la soirée quand, avertis, les notables et d'innombrables amis envahirent la maison. Tous étaient affligés et beaucoup, parmi lesquels Novello, le comte Carlo Pepoli et Lindley, se rassemblèrent dans le salon de musique pour évoquer les circonstances de cette mort et la perte immense qui affectait le monde de la musique. J'appris que Domenico Dragonetti avait rendu l'âme, comme disent les hommes, à l'âge de quatre-vingt-quatre ans. Mais l'âge n'a pas réellement de sens pour nous violons.

Opus 9

Les musiciens de Londres organisèrent au maître de la contrebasse et collectionneur émérite des funérailles grandioses, impressionnantes, émouvantes et musicales. Comme aux obsèques de Viotti à l'église Saint-Marc, j'étais présent à celles de mon maître à la Catholic Chapel.

Il avait lui-même choisi, peu avant sa mort, les morceaux devant accompagner son enterrement. D'abord un trio pour violon, violoncelle et contrebasse de son cru, puis la *Symphonie des trilles* de Telemann pour deux contrebasses et flûte qu'il avait souvent interprétée en concert. La flûte Bilbao – j'ignore pourquoi elle portait ce nom dans la collection – eut ainsi l'honneur de participer à la cérémonie aux lèvres de Picousa, vieux musicien ami du maître.

Ce dernier avait privilégié jusqu'au bout une musique profane, enjouée, pas triste, convenant à son caractère bon vivant, un peu excentrique mais voué ardemment à son art. Sa conversation que j'ai pu suivre durant tant d'années dans le cabinet de musique était de cette nature : pittoresque, étrange, drôle, faite d'un curieux mélange de termes italiens, anglais et français. Elle me manque encore.

*

Après les obsèques, la maison sombra dans le silence. On avait, je ne sais pourquoi, laissé les rideaux fermés dans le cabinet de musique et l'obscurité accentuait la tristesse sépulcrale du lieu. Je n'avais quasiment rien à dire à mon voisin le Stainer, dont la lourdeur germanique me déprimait. Fleur m'apporta heureusement un peu de réconfort en évoquant ses souvenirs de la cour de France. Elle y avait vécu les meilleurs moments de sa vie et moi mes débuts dans le grand monde avec Leclair et Guillemain. Mais parler du passé ne nous libérait pas, hélas, de notre inquiétude. Qu'allions-nous devenir ?

Dragonetti avait sûrement rédigé un testament. Nous avait-il légués à un ami musicien ? À un collectionneur ? Ou, pis, à un musée ? Cette dernière éventualité, évoquée entre nous, m'effraya. Je n'arrivais pas une seconde à m'imaginer enfermé *ad vitam aeternam* dans une vitrine cadenassée du Victoria & Albert Museum, condamné à voir défiler des gens indifférents au point de ne pas même chercher à lire la plaque me désignant : « *Violon d'Antonio Stradivarius, 1728* ». Condamné, surtout, à n'être plus jamais joué, autrement dit à voir peu à peu s'évanouir, s'étioler, s'effacer, disparaître les qualités ayant séduit les plus grands virtuoses.

Opus 10

L'espoir revint à l'instant où Tom, le valet, ouvrit les rideaux. À l'instant même où, ce geste accompli, la lumière de l'été réveilla le cabinet de musique.

Peu après, Lindley accentua nos conjectures lorsqu'il entra avec Vincent Novello, lequel releva soigneusement sur un cahier la liste des instruments de la collection. J'aimais Lindley qui m'avait si souvent tiré de ma solitude. Il me rendit courage une fois de plus en me faisant jouer un motif de Bach et en lançant :

— Voici la perle de la collection ! Dragonetti l'aimait autant que sa contrebasse.

Je n'entendis pas ce que lui répondit Novello mais son sourire me rassura.

*

Une nouvelle visite des deux hommes eut lieu un peu plus tard, cette fois accompagnés du comte Carlo Pepoli et d'un autre personnage que j'entendis nommer J.-B. Heath. Je compris qu'il s'agissait des exécuteurs testamentaires.

Tous quatre s'assirent autour de la table et M. Heath ouvrit une enveloppe. C'était le testament dont il entama la lecture :

« Écrit sous le règne de Sa Majesté la reine Victoria, à Londres, le 6 avril 1840. »

La longue énumération de cadeaux, partitions, portraits gravés, estampes, statuettes à des inconnus ne me passionna guère. J'en retins juste le legs de manuscrits musicaux de Mozart et Beethoven à Vincent Novello et le don de vingt-quatre vues de Venise à un certain Mr. Brown. J'ouvris plus grandes mes ouïes quand on arriva aux instruments :

« Je lègue ma grosse contrebasse Gasparo da Salo au duc de Leinster qui fut longtemps, avant moi, son propriétaire. Je lègue mon autre et chère contrebasse Gasparo da Salo, qui m'a accompagné dans tous mes concerts, au chœur de la basilique Saint-Marc de Venise.

« Deux de mes violons Amati iront à monsieur Sivori, deux autres, des napolitains, à mon cher ami Tolbecque et le produit de la vente du Stainer servira à couvrir les frais de ma sépulture. »

Suivit la répartition de violons sans grande origine et d'instruments divers à des gens dont je n'avais jamais entendu parler. Et aussi celui de ma chère Fleur à la comtesse Sphora, ce qui me rassura sur son sort, la dame, familière de la maison, ayant joué ma douce guitare avec grâce lors de ses visites. La collection d'archets fut à son tour distribuée.

*

Je commençais à croire que je ne figurais pas au testament quand M. Heath annonça :

« Enfin, pour finir, je lègue mon trésor, le violon fait par Stradivarius et qui fut joué par Paganini, à la violoniste mademoiselle Teresa Milanollo et fais présent de mon violon élaboré par Gasparo da Salo à sa jeune sœur Maria Milanollo qui est aussi violoniste. »

Je vibrai de tous mes nerfs d'épicéa, tremblai de toutes mes cordes en entendant annoncer les ultimes volontés de mon maître. Quel bonheur ! Quel soulagement ! J'allais donc appartenir à celle qui m'aimait, celle qui me jouait comme une caresse et qui me montrerait aux foules des plus grands concerts, puisque les deux sœurs ne cessaient de sillonner l'Europe pour y répandre le bonheur de leur musique. Du coup, un poids sautait de mon âme. J'étais délivré. Je n'avais plus qu'à attendre l'instant divin où l'on me remettrait à ma maîtresse.

Je dus cependant patienter longtemps dans l'une des armoires d'acajou de la maison Hill & Sons où l'on m'avait mis à l'abri. Durant cette attente, plusieurs amateurs de Stradivarius, dont le virtuose Joseph Joachim, fréquentèrent le magasin de Hill par où transitaient la plupart des violons crémonais mis en vente en Europe. Tous, en me voyant, rutilant dans la vitrine, voulurent se rendre acquéreurs du violon qu'avaient joué Bach, Viotti, Paganini et Teresa Milanollo dont j'allais désormais porter le nom. Certains collectionneurs allèrent jusqu'à proposer des sommes paraît-il énormes. Des chiffres débordant de zéros qui ne disaient rien à ma tête de violon mais qui m'aidèrent à prendre davantage conscience de ma valeur non pas musicale, mais marchande. Et je me suis beaucoup distrait en examinant la mine déconfite de ces gens considérables s'entendant répondre que je n'étais pas à vendre.

DOUZIÈME LIVRET

Les anges du violon

Opus 1

L e jour arriva enfin où Mr. Hill ouvrit ma vitrine, m'enveloppa dans je ne sais combien de pièces de soie, et me rangea, en compagnie du Gasparo da Salo destiné à Maria, dans une boîte de bois de chêne sans élégance particulière mais visiblement conçue pour le transport. Aucune jolie serrure ni charnières dorées, juste des vis solides et une grosse poignée de chanvre.

Je sentis des mouvements, des cahots, puis je perdis connaissance de ce qui m'arrivait. Je restai dès lors des jours et des jours dans ce cercueil à violons, incapable d'entretenir la moindre communication avec mon confrère séparé de moi par une épaisse planche de bois. D'ailleurs, je le connaissais à peine, ce Gasparo, violon personnel de Dragonetti qui le gardait dans sa chambre.

Ce n'était pas la première fois que je me retrouvais coupé du monde et, comme à l'habitude, je me repliai dans cette léthargie qui nous permet de résister, mieux que les humains, à certaines épreuves de l'existence.

*

J'ai appris plus tard que, va savoir pourquoi, l'ambassade d'Espagne à Londres avait été chargée de nous remettre aux sœurs Milanollo. Après un voyage resté aussi obscur que la touche d'un violon, c'est à Lyon que leur père ouvrit notre caisse.

Teresa et Maria terminaient en France une folle tournée à travers l'Allemagne : neuf concerts à Francfort, quatre à Mayence, des triomphes en Bavière et dans toute la Suisse. Elles avaient paru encore à Lausanne, Zurich, Lucerne, et même neuf fois à Genève sans avoir pu satisfaire tous leurs admirateurs. Des informations glanées le lendemain de notre arrivée en écoutant la lecture du journal local faite par M. Milanollo à ses filles. Ces dernières, habituées pourtant aux louanges, savaient apprécier celles qui distinguaient et mettaient en valeur leurs extraordinaires qualités. Ainsi leur père avait-il fait encadrer l'article dans lequel Berlioz avait hissé en termes exaltés les deux sœurs aux sommets de l'art musical. Depuis, ce témoignage porte-bonheur avait suivi la famille dans ses déplacements et ici, il trônait sur une commode de leur chambre.

Elles-mêmes, malgré ce périple épuisant, portées par le bonheur de jouer, ne semblaient pas fatiguées et se montraient heureuses de regagner la France, de conquérir le public lyonnais réputé difficile.

*

Teresa sauta de joie en me retrouvant et voulut aussitôt renouer avec l'éclat de ma sonorité. J'étais moi, ému, inquiet de savoir si je n'avais pas perdu une partie de mes moyens au cours du ténébreux voyage. Lorsque Teresa me regarda longuement et m'accorda, le toucher de ses doigts fins me fit frissonner. Tout de suite, je sentis que j'étais sauf et que j'allais sonner aussi pleinement que dans le cabinet de Dragonetti.

Quand elle eut terminé de jouer la *Polonaise* d'Habeneck, elle s'écria, j'entends encore le son joyeux de sa voix :

— Le violon que m'a légué le bon monsieur Dragonetti est maintenant le Milanollo. C'est lui que je jouerai désormais en concert. Et je vais donner à Maria le Hembert que Père m'a offert et qui m'a apporté tant de succès.

J'appris de la sorte que Teresa œuvrait depuis deux ans sur un Stradivarius. Je ne connaissais naturellement pas ce frère de 1703, un remarquable instrument qui fait honneur à notre nom mais qui, je le déclare sans prétention, ne possède pas mes vertus. N'empêche, les concerts futurs, joués par deux sœurs prodiges sur deux frères Stradivarius, voilà qui aurait du panache.

J'avais décidément de la chance !

Opus 2

Les Milanollo avaient l'habitude d'être reçues à bras ouverts dans toutes les grandes villes, où elles répondaient souvent à une invitation officielle. Le directeur du Grand Théâtre de Lyon en revanche – sans doute n'aimait-il pas le violon – se montra étonnamment réticent à leur programmation, prétendant même que les Lyonnais ne fréquentaient guère les concerts. Refroidis par cet accueil, les parents des interprètes voulurent quitter sans attendre une cité si inhospitalière, mais Teresa rechigna à céder aussi aisément et montra qu'elle possédait du caractère :

— Je ne partirai pas avant d'avoir donné trois concerts, déclara-t-elle furieuse.

Pour calmer son exaspération, elle me prit et joua à la manière exaltante de l'auteur la *Primavera sonata* de Paganini.

*

Il fallut attendre la fin du morceau pour s'apercevoir qu'on frappait à la porte. C'était un envoyé du directeur qui avait dû se renseigner et découvrir la magie du nom des Milanollo, célèbre dans toute l'Europe. Revenant sur ses réticences, il proposait désormais deux soirées avec possibilité de prolongation.

Teresa et Maria éclatèrent alors de rire.

— Il nous reste deux jours pour répéter un programme, me dit l'aînée, et notre triomphe rendra ridicule ce responsable sans jugeote.

Je ne me demandai plus ce que les humains appelaient jugeote et devinai que Teresa ne portait pas dans son cœur ceux qui méconnaissaient ou, pis, doutaient de son talent. J'avais en tout cas remarqué qu'elle avait dit « nous ». Comme jadis Bach, Leclair, Viotti. Et même Paganini, qui ne m'avait pourtant pas souvent joué, m'avait permis aussi un jour de partager son succès. C'était, il est vrai, lors d'un soir de fête chez Dragonetti. Tout le monde avait bu du whisky, cet alcool écossais qui a une couleur de Stradivarius.

*

Teresa avait raison. Le soir de la première, donnée le 13 octobre 1846, le triomphe fut énorme. On refusa du monde et les deux sœurs durent revenir un nombre incalculable de fois saluer le public. Je dois admettre que l'alliance entre les deux Stradivarius, cette alchimie unique des sons, offrit une aura quasi surnaturelle aux morceaux choisis par ma nouvelle maîtresse, en particulier le *Concerto en ré majeur* de Beethoven qu'elles durent reprendre à tous les concerts.

Le lendemain, alors que nous répétions à la fin de l'après-midi une sonate de Vieuxtemps – seul violoniste et compositeur de l'époque pouvant s'affirmer rival des Milanollo –, une puissante musique retentit dans la cour de la bâtisse où nous logions. D'emblée, Teresa reconnut une fantaisie de Lafont et courut à la fenêtre. Et quelle ne fut pas sa joie – et sa fierté – de reconnaître l'orchestre du Grand Théâtre venu donner une sérénade aux deux sœurs. Enthousiastes, touchées aussi, violon en main, sans se faire prier, elles descendirent se mêler aux musiciens.

Cet hommage impromptu marqua à Lyon le début d'une petite révolution. Reconnues dans la rue, les sœurs Milanollo se voyaient sans cesse accostées, félicitées, acclamées. Ce n'est pas trois concerts qu'elles donnèrent mais vingt-quatre, toujours dans des salles combles et enthousiastes. Nous restâmes dans la ville deux mois et demi au cours desquels les deux fées du violon donnèrent aussi deux récitals de bienfaisance, puisque jamais les Milanollo, qui avaient connu des temps difficiles, n'oubliaient les pauvres à leur passage.

En remerciement, les deux sœurs furent comblées de présents par ces « Lyonnais qui n'aimaient pas la musique ». Chacune reçut la médaille d'or de la cité, les peintres locaux réalisèrent à leur intention un magnifique album, le poète de Laprade chanta leur talent et leur générosité, et Teresa, enfin, reprit la route avec un archet monté or de Dominique Peccatte dédicacé par la Société de musique de Lyon. Un archet qui m'a brossé, excité, caressé durant toute la vie de ma nouvelle idole.

Opus 3

De Lyon, la troupe gagna Nîmes dans la grande berline à deux chevaux que venait d'acheter M. Milanollo. Mes anges du violon y donnèrent neuf concerts, suivis de seize à Marseille où Teresa retrouva ses admirateurs de la première heure. Remontant vers le nord, elles s'arrêtèrent ensuite à Besançon puis à Nancy, accumulant toujours autant de succès, de bravos, de félicitations, d'enthousiasme.

*

La famille nomade pensa alors à prendre un peu de repos dans une maison qui serait enfin la sienne. Le père, qui veillait sur le patrimoine de ses filles, trouva à Malzéville une propriété qui enchanta tout le monde. La maison à l'italienne était il est vrai fort agréable et le parc des plus accueillants.

J'ai aimé, à cette époque, que mon frère et moi soyons joués sous les tilleuls par deux ravissantes créatures en robes légères, tandis que, assis sur un banc, leurs parents écoutaient, émus, les virtuoses qu'ils avaient fait naître à la

259

musique interpréter un duo que Teresa venait de composer. Parfois un oiseau descendait des hautes branches pour mêler son chant aux notes de Paganini. Des instants de pur bonheur.

*

L'été passé, aux premières feuilles mortes, Teresa et Maria furent appelées de nouveau à Lyon en vue de l'inauguration du Jardin d'hiver. La famille quitta à regret son havre de paix. Cette fois, le directeur du Grand Théâtre mangea son chapeau et supplia les sœurs prodiges de demeurer quelques semaines dans la ville afin de s'y faire entendre d'un public impatient de les retrouver. En un peu plus d'un mois, nous donnâmes dix concerts dont un au bénéfice de l'orchestre du Théâtre et un autre pour les démunis.

J'attendais cependant le moment où notre vie d'itinérance harassante s'arrêterait un jour à Paris où j'avais abandonné tant de souvenirs, bons et pénibles, le plus fort demeurant celui de mon séjour dans la boutique du brocanteur, pendu à un clou près d'un hibou empaillé. La direction de l'Opéra répondit enfin à mes vœux secrets en nous engageant pour quinze soirées. Ce voyage enchantait tout le monde mais une révolution, comme les hommes appellent les périodes violentes où ils s'entretuent en brandissant des drapeaux, vint tout arrêter en 1848. Un roi des Français – et non de France comme ses prédécesseurs – appelé Louis-Philippe je crois, venait de se faire renverser par une insurrection et les temps devenaient moins sûrs. Une nouvelle République était née. Apprécierait-elle la musique ? En tout cas, cela me rappela le jour où, à cause d'un autre soulèvement, Viotti avait dû quitter Paris où l'on embastillait les souverains, les aristocrates, tous les nobles et bientôt tous les ennemis de ceux qui détenaient le pouvoir, avant – quelle horreur ! – de leur couper la tête.

*

Au lieu donc de monter à Paris, par prudence nous partîmes pour la Belgique avant de retourner à Malzéville aux premiers beaux jours. Chacun espérait y trouver la paix et la joie, goûter aux instants délicieux d'un repos mérité loin des soubresauts de l'histoire politique, mais c'est le malheur qui fondit comme un rapace sur la famille la plus unie et la plus heureuse du monde.

*

Un gros rhume semblait avoir touché Maria. Personne ne s'inquiéta tant cet aléa banal paraissait anodin, mais le mal prit en quelques semaines des allures alarmantes. Le médecin appelé diagnostiqua alors une fluxion de poitrine accompagnée d'une coqueluche. Ce fut un choc. Devant le danger et la gravité du mal, les parents et Teresa décidèrent de partir en poste pour Paris afin de quérir l'avis de pontes plus efficaces et d'y faire soigner la malade.

Là, rien ne fut négligé pour combattre l'affection pulmonaire qui terrassait son corps meurtri. Les plus grands praticiens furent consultés mais personne ne parvint à enrayer la phtisie qui emportait la pauvre enfant.

Maria n'avait heureusement pas senti la fin venir. Au contraire, cette adolescente bénie des dieux de la bonté comme de la musique avait tenté jusqu'au bout de rassurer les siens :

— Ne vous affligez pas. Je ne vais pas mourir de sitôt. J'ai seulement sommeil. Tiens, Teresa, joue-moi l'adagio de Mozart avec lequel tu m'endormais lorsque j'étais petite.

Le soir de son décès, une agonie douloureuse et affreuse, la tristesse était infinie. Les parents priaient, Teresa pleurait sur mon cordier. Maria avait fermé les yeux pour toujours. L'ange du violon s'était endormie. À seize ans. À jamais.

*

Il y eut une cérémonie à l'église Saint-Roch, à laquelle je n'assistai pas, puis la pauvre Maria, que j'aimais autant que sa sœur, fut conduite au Père-Lachaise où, paraît-il, existe dans ce grand cimetière une place réservée baptisée « le bosquet des musiciens ». M. Milanollo annonça qu'on y élèverait un monument, près des tombeaux de Habeneck – décédé quelques mois auparavant – et de Cherubini, l'ancien directeur du Conservatoire de Paris.

Terrassée par la douleur, la famille alla pleurer Maria dans son refuge de Malzéville où le violon se tut. Inconsolable, Teresa m'abandonna à son tour, décidant, je l'appris plus tard, de renoncer à une carrière qu'elle croyait ne plus avoir la force de poursuivre seule. Le silence des sons allait accompagner la disparition d'une virtuose éteinte.

Opus 4

C e n'est qu'au bout d'une longue léthargie que la main amie ouvrit enfin mon coffret et osa me rendre à la lumière.

Au regard de Teresa, je compris qu'elle avait accepté l'idée que son art représentait le seul consolateur capable de l'aider à supporter la disparition de Maria. Cela, je le savais, j'aurais voulu le lui exprimer mais je n'en ai pas trouvé le moyen. Enfin, l'essentiel était qu'elle avait saisi son archet et que je me retrouvais niché sous son menton.

*

À mon grand étonnement, Teresa n'alla pas chercher dans sa mémoire quelque thème élégiaque de Bach ou de Haendel. Elle choisit d'entonner, comme pour me réveiller et ranimer ses propres doigts engourdis, un motif que Paganini nous avait fait jouer chez Dragonetti. À la manière dont elle mena ses extensions près du chevalet et osa les notes les plus audacieuses, je compris que ma maîtresse blessée n'était pas perdue pour la musique.

Mieux, deux mois après la mort de sa sœur, elle réapparut devant le public.

Teresa, on reconnaît bien là sa générosité, voulut que ce premier concert fût donné au profit de l'Association des artistes musiciens. Loin de la déstabiliser, l'épreuve cruelle qu'elle venait d'endurer sembla avoir haussé sa virtuosité à la plus complète maturité. Je ressentis ainsi en mon tréfonds ses octaves en double corde qui n'avaient jamais été aussi irréprochables, ni son détaché merveilleux de netteté. Ce récital de rentrée fut frénétiquement applaudi par le public. Ma maîtresse lui accorda son premier sourire depuis le drame, en le saluant à sa manière unique : les deux bras écartés, le droit tenant l'archet de Peccatte, le gauche le plus heureux des violons d'Antonio Stradivarius.

*

Privée de sa partenaire de sang, ma maîtresse aborda aussi pour la première fois en public la musique de chambre, une initiative qui me plut tant elle me permit d'entrer en contact avec de nouveaux collègues. Si ces derniers ne portaient pas de grands noms, ils étaient de bonne fibre et sonnaient franchement.

Le deuxième violon était joué par Mas, un concertiste dont Teresa disait grand bien ; l'alto, un solide Mirecourt, par Casimir Ney et le violoncelle, vieil italien qui aurait pu venir de Crémone, grondait sous l'archet d'un nommé Vaslin. Les trois violons me connaissaient, ma célébrité dans le monde de la musique ayant crû avec celle de Teresa, et parurent flattés de jouer avec moi plusieurs quatuors de Beethoven.

Le premier concert, donné à la salle Herz, rencontra tant de succès qu'il fallut le reprendre trois fois. On aurait pu continuer si Teresa n'avait scellé d'autres engagements, tous en France puisqu'elle refusait dorénavant de s'éloigner de l'univers où sa sœur avait connu presque toutes ses gloires.

*

Citer le nom des villes où Teresa triompha les mois qui suivirent relèverait de l'ennuyeux. Je n'ai d'ailleurs gardé en mémoire que ceux de Rennes, Nantes, Bordeaux, Toulouse où elle obtint les plus grands triomphes, soit seule, soit en quatuor.

Elle emportait souvent dans ses tournées un deuxième violon dont je ne pouvais être jaloux. C'était un Sylvestre, issu de deux frères luthiers qui exerçaient à Lyon, d'une sonorité que je reconnais éclatante. Un instrument taillé de souvenirs puisqu'il portait en tête du manche le portrait sculpté de la bien-aimée Maria.

Opus 5

Ma vie a connu bien des avatars, de grands bonheurs, des infortunes, des épreuves cruelles, des moments euphoriques. Dans ce tableau contrasté, les années passées en compagnie de Teresa appartiennent à l'époque bénie des plaisirs sans nuage. Si l'on excepte le temps du désespoir qui suivit la mort de Maria, vivre au sein de la famille Milanollo était pour moi une félicité. Certains pourraient imaginer mon existence d'alors monotone. Ce serait oublier les passionnantes découvertes de notre vie nomade, la variété du répertoire de ma virtuose qui changeait son programme à chaque concert et, surtout, négliger les qualités de cette artiste adorable qui rencontrait uniquement le succès et enchantait autant par son talent que par sa grâce, son charme et sa modestie. Vivre dans les bras d'une telle excellence représentait pour moi, violon exigeant, le comble du bien-être.

*

Les jours passèrent, dans le souvenir de Maria, nimbés de la lumière du violon dont elle répandait les accords dans son sillage. Il me souvient qu'à Strasbourg elle a joué pour la première fois l'*Ave Maria* de Schubert qu'elle avait transcrit elle-même pour le violon. Mon âme en tremble encore sous le vernis de ma table.

Nous sommes d'ailleurs restés longtemps dans l'Est, en Alsace, puis partis en Allemagne – première incursion à l'étranger depuis le drame –, avant de rejoindre Malzéville, notre port d'attache. Teresa arriva si fatiguée que ses parents craignirent pour sa santé. Le mauvais sort allait-il rejouer sa macabre farce ? Le bon air et la cuisine de *mamma* Milanollo la remirent rapidement sur pied. Et elle-même composa sous les tilleuls son œuvre la plus belle, la plus pure, la plus émouvante, sa *Fantaisie élégiaque* dédiée à la mémoire de sa sœur. Aujourd'hui je donnerais cher pour qu'un violoniste m'accorde le bonheur de rejouer l'adagio en *la* mineur de ce concerto aujourd'hui oublié.

*

L'une de ces folles tournées où les concerts succédaient aux concerts, où l'on passait plus de temps en berline et en chemin de fer que devant le public, faillit une fois virer au tragique.

C'était à Aix-la-Chapelle. Sur la scène du Grand Théâtre, Teresa en était aux dernières mesures de la *Fantaisie-Caprice* de Vieuxtemps. Se préparant à saluer, elle s'approcha malheureusement un peu trop de la rampe, illuminée des habituelles bougies destinées à éclairer la scène. Un courant d'air venu des coulisses souleva le bas de sa robe qui s'enflamma.

Des cris d'épouvante partirent de tous les points de la salle, mais l'artiste, conservant son sang-froid, sut éviter la catastrophe. Me serrant par le manche, elle frappa les premières flammes de mon fond plat et parvint à les étouffer. Calme et souriante, elle repoussa les gens du personnel qui se précipitaient et, sous les acclamations de l'assistance, reprit la dernière partie de son morceau.

J'ai longtemps conservé sur mon éclisse gauche une petite cicatrice brunâtre, témoin de ma modeste participation à un incident dont les suites auraient pu être funestes.

Opus 6

J e n'ignorais pas que Teresa avait commencé tôt ses incessantes pérégrinations, mais je fus stupéfait d'entendre un jour le critique Louis Relstab déclarer qu'elle avait donné, en dix ans, pas loin d'un millier de concerts. Si les chiffres ne m'impressionnaient pas, je savais qu'aucun autre virtuose n'avait, comme elle, suscité l'admiration et l'amour du public, de tous les publics, ceux d'Italie, de France, d'Allemagne, de Suisse, d'Angleterre sans oublier la Flandre.

S'il fallait choisir les pays qui, durant ces années, lui avaient réservé l'accueil le plus impressionnant, je dirais sans hésiter l'Allemagne et l'Autriche. C'est Teresa elle-même qui raconta à ses parents, lors d'un séjour à Malzéville, qu'elle avait dû, pour satisfaire la passion de ses auditeurs, accepter quatorze récitals à Berlin et dix-huit à Vienne. J'ai retenu ces chiffres car jusqu'à vingt je peux tout de même m'y retrouver. Je sais ainsi que le violon a deux ouïes, quatre cordes et Teresa deux beaux yeux bleus.

*

Ces voyages continuels mettaient évidemment l'intégrité physique de mon artiste en danger. Teresa, par exemple, prenait grand soin de ses mains et choisissait des gants épais lorsque nous utilisions le chemin de fer, craignant les portières que les employés ferment violemment. Elle utilisait aussi avec prudence les marchepieds hauts et glissants des wagons, de peur de chuter et de se blesser. Pourtant, malgré ces précautions, l'accident redouté arriva.

Pas en chemin de fer, pas en voiture ni dans les escaliers en colimaçon qui mènent aux loges des théâtres mais, bêtement, dans sa chambre d'hôtel, à Strasbourg, le jour où son pied se prit dans un tapis et où elle se brisa un os du poignet gauche, quelque chose sans doute comme une barre d'harmonie.

Mais alors que notre barre en épicéa se taille et se remplace en quelques heures, le poignet de Teresa mit longtemps à guérir. Comme à chaque infortune, c'est à Malzéville, dans la maison que les gens de la région appelaient le château Milanollo, qu'elle s'apaisa, récupéra l'usage de sa main et que la famille retrouva la paix.

*

Teresa mit ce repos forcé au service de la composition. Tandis qu'elle couvrait de triples croches des tas de feuilles de papier à musique, je restais muet et immobile dans mon coffret. Ma maîtresse avait-elle conscience que je me languissais ? Le fait est qu'elle venait souvent soulever mon couvercle pour me parler et faire chanter mes cordes de son index. Une manière de me dire, par ces pizzicati affectueux, qu'elle m'aimait et pensait à moi.

Enfin, le fragile poignet gauche, sans lequel un violoniste n'est rien, recouvra sa souplesse. Libérée, ma virtuose reprit l'archet et la maison se réveilla dans un printemps fleuri de chacones et d'ariettes. Il y a, dans la vie des violons comme dans celle des hommes, des moments de plaisir qu'il faut savoir goûter.

*

Teresa commença par jouer les pièces qu'elle avait composées durant sa convalescence, avant, à ma grande stupéfaction, de les déchirer en faisant la moue :

— Tu vois, mon beau violon, à part la *Fantaisie élégiaque*, ces compositions ne valent pas grand-chose et ne sont pas dignes de mon public. Je n'étais peut-être pas assez malheureuse pour inventer de la bonne musique !

Je dus convenir qu'elle voyait et entendait juste en s'opposant à l'idée d'introduire ces œuvres qui, disait-elle, sentaient la médecine, dans son programme de rentrée. Nous répétâmes donc dans un enthousiasme retrouvé Bach, Viotti, Paganini et les autres.

*

Ma maîtresse était-elle lassée des longs voyages ? Je l'ai pensé en découvrant combien, ensuite, elle délaissa les pays étrangers qui la réclamaient avec insistance pour réserver ses tournées à la France, en particulier aux régions de l'Est, comme si elle refusait désormais de s'éloigner de Malzéville. Ce choix n'était pas pour me déplaire, en ayant assez, moi aussi, de courir le monde. À Strasbourg, à Mulhouse, à Colmar, à Guebwiller ou à Metz nous restions chez nous, et si les assemblées étaient moins nombreuses qu'à Vienne ou à Berlin, elles se montraient toujours aussi chaleureuses. Et puis, nous rentrions souvent à la maison, cette fraîche bâtisse entourée d'un vaste parc où les oiseaux répondaient aux phrasés de ma jolie maîtresse.

TREIZIÈME LIVRET

Le beau capitaine

Opus 1

Personne n'était plus proche que moi de Teresa. C'est du moins ce que je croyais. Et que j'ai cru longtemps.

Elle me prenait il est vrai tout le temps sous son bras, m'emmenait jusqu'à la fenêtre du salon où se trouvait le pupitre italien ou près de l'un des grands arbres du parc auxquels elle avait donné des noms. Heureux, j'aimais jouer sous le feuillage de « Drago », un énorme noyer à la peau d'éléphant, moment qui suscitait systématiquement la même remarque de la *mamma*, laquelle criait depuis le perron de la maison :

— Attention, Teresa, l'ombre du noyer est traître, tu vas attraper froid !

Sa fille riait alors et m'embarquait avec fougue dans la fantaisie qu'elle venait de composer avec bonheur sur un motif de *Guillaume Tell*.

*

Malgré cette connivence, cette complicité que je pensais uniques, je ne vis pas arriver dans notre vie l'officier qui

275

allait, allegretto, prendre le cœur de Teresa. Je dois dire que si j'avais souvent aperçu des messieurs tourner autour des jupes de ma maîtresse, je n'avais jamais remarqué quelqu'un qui aurait partagé des moments intimes de sa vie. Comme cela m'aurait déplu, je n'avais peut-être pas voulu y prêter attention.

Pour l'officier, c'était autre chose. Habitué du goûter du dimanche, jour où Teresa ne jouait pas ou très peu, je n'avais donc pas eu souvent l'occasion de le rencontrer. Mais, une fois, il l'escorta jusqu'au salon où j'étais rangé et profita de l'instant où elle se penchait vers moi pour tendrement l'enlacer et l'embrasser, geste que j'avais vu faire chez les humains. Teresa en parut heureuse et dit :

— Théodore, prenez mon violon, moi l'Amati, nous allons jouer ensemble la *Polonaise* de Vieuxtemps que vous aimez.

Ainsi, à ma surprise agacée, me suis-je retrouvé sous un menton moins doux que celui de Teresa et tenu par une poigne musclée, ce qui ne m'était pas arrivé depuis long-temps. J'attendis l'attaque du premier coup d'archet avec curiosité et inquiétude, comme chaque fois qu'on me confiait à un dilettante.

La surprise fut totale. En fait d'amateur, l'officier était un très bon violoniste qui tenait la gageure d'accompagner joliment la virtuose la plus célèbre de l'époque.

Opus 2

Après cette rencontre que je n'avais pas trouvée désagréable, celui qu'on appelait le capitaine nous fit des visites de plus en plus fréquentes. Il lui arrivait même de venir le samedi et de passer la nuit à la maison. C'était alors l'occasion d'une longue veillée musicale qui me rappelait les soirées chez Dragonetti. Car le capitaine ouvrait de grands yeux quand Teresa racontait les duos fous de Paganini et du virtuose de la contrebasse.

— Eh oui ! aurais-je voulu lui dire, Paganini m'a souvent préféré à son Cannone et j'ai été joué par Bach et par Viotti !

Je n'avais d'ailleurs aucune raison de me faire valoir. M. Parmentier – c'était son nom – était trop bon violoniste pour ne pas m'apprécier et, en outre, il ne tarissait pas d'éloges sur ma puissance et ma sonorité.

*

Je voulais naturellement en savoir plus sur le bel officier qu'on disait maintenant fiancé à ma maîtresse. J'ouvris donc mes ouïes et écoutais attentivement les conversations, celles des deux domestiques de la maison en particulier.

Je sus donc que le capitaine n'était pas entré au conservatoire comme ses dons de musicien l'y engageaient, mais sortait de l'École polytechnique. Il vivait à Strasbourg où il avait repris ses études de musique après avoir été nommé aide de camp du général Niel. Théodore n'était pas seulement militaire et musicien, il s'avérait aussi critique de qualité et publiait des articles dans la *Gazette musicale*, la *France musicale*, le *Courrier du Bas-Rhin*.

Quand il avait commencé à fréquenter notre maison, il revenait de l'expédition de la Baltique où il avait pris part au siège de Sébastopol et à l'assaut de l'ouvrage de Malakoff. Il y avait gagné une médaille au ruban rouge. Il paraît qu'elle s'appelle la Légion d'honneur et que les humains qui habitent la France en font grand cas. Pourquoi ne décore-t-on pas les violons ? Remarquez que cela m'est parfaitement égal : ma décoration demeure l'étiquette qu'a signée mon père Antonio Stradivarius et qu'on peut apercevoir, jaunie par le temps, à travers mon ouïe gauche.

J'appris aussi que Teresa et Théodore s'étaient rencontrés deux ans auparavant à Strasbourg, à l'issue d'un concert ayant obtenu un succès considérable. Curieusement, au milieu de tant d'autres oubliées, je me rappelais de cette soirée.

Teresa m'avait joué, en compagnie de trois excellents concertistes, dans le *Dixième Quatuor* de Beethoven. Ce fut un triomphe dans ce genre qu'elle ne pratiquait guère. Je me souviens même que, dans sa loge, alors qu'elle me reposait dans ma boîte, un huissier vint lui apporter une gerbe de roses. La pièce se voyait souvent fleurie par des admirateurs mais, cette fois, le bouquet était si magnifique qu'elle demanda à connaître la personne qui le lui avait envoyé.

C'était un officier de belle prestance, galonné d'or, dont je n'entrevis pas le visage car ma maîtresse, j'enrageais, avait refermé sèchement mon couvercle à son arrivée. J'ai ainsi manqué le moment précieux où le capitaine Parmentier fit la conquête de Teresa Milanollo. Je sais que ce soir-là ils ont soupé ensemble car, après m'avoir déposé dans la chambre, ils sont ressortis en ville, elle, radieuse déjà, à son bras.

Opus 3

Aux premiers mois de 1857, Teresa continuait de rayonner dans l'est de la France. Partout on la réclamait, partout de frénétiques ovations la saluaient. Ribeauvillé, Sainte-Marie-aux-Mines, Metz, Thionville, Bar-le-Duc et bien d'autres cités reçurent notre visite.

Parfois, le capitaine Parmentier venait rejoindre Teresa qui alors ne cachait pas son bonheur. Et c'est ainsi que j'appris à Nancy, stupéfait, en écoutant parler les amoureux, que le concert du soir, celui du 16 avril, serait le dernier.

— Allez-vous pouvoir vivre, chérie, sans vos admirateurs, votre musique qui les enflamme, les salves d'applaudissements qui vous couronnent partout où vous passez ?, interrogeait Théodore.

Et elle de répondre en l'embrassant :

— Bien sûr que je regretterai parfois l'enivrement du succès bruyant et toujours répété, mais la musique n'y perdra rien. Je jouerai pour vous, mon cœur, pour les vieux parents, pour les amis. Et je jouerai avec vous. J'ai peu pratiqué avec accompagnement de piano et vous êtes un merveilleux pianiste.

— Jamais plus, donc, vous ne vous produirez en public ?

— Quelquefois sans doute. Mais seulement pour des œuvres charitables. J'ai trente ans, gagné beaucoup d'argent et jamais vraiment profité de la vie. Devenue votre femme, les joies du foyer remplaceront les acclamations.

Le soir, le directeur du théâtre de Nancy annonça :

— Vous allez avoir l'honneur d'entendre ce soir le dernier concert public donné par Mme Teresa Milanollo. Notre grande artiste, notre concitoyenne qui a choisi de vivre dans notre Lorraine, va en effet abandonner ses récitals. À vous, ses admirateurs, de lui montrer votre reconnaissance !

Et moi, je me mis à trembler de toutes mes fibres.

J'ai oublié les titres des morceaux que nous avons interprétés, mais l'immense clameur du public debout, mêlant les pleurs aux bravos, reste figée dans ma mémoire. Cette séance où elle a joué divinement marqua forcément une profonde mutation, un grand changement dans l'existence de Teresa. Et inévitablement, dans la mienne.

Opus 4

L e mariage célébré à Malzéville reste un grand souvenir aussi, bien que je n'en aie pas été un acteur privilégié. Juste un témoin discret, posé sur le piano à côté de l'Amati acquis par Maria avant que Dragonetti ne lui fasse don de ma personne. Heureusement, on ne nous avait pas laissés enfermés dans nos boîtes et nous pûmes suivre, depuis l'estrade où était installé le piano, le déroulement de la cérémonie.

*

Il faisait encore frais en ce jour d'avril 1857, mais le parc offrait aux jeunes feuilles l'éblouissement divin du soleil. 16 avril. J'ai ancré la date dans mes chapitres car Teresa avait glissé dans la pochette de mon étui, comme un talisman, l'invitation au mariage. Sur ce carton gravé, le drapeau français laissait voir entre ses plis un violon qui, j'en étais sûr, ne pouvait être que moi. Ce porte-bonheur n'a pas bougé de place durant des années. Même après la mort de Teresa, les nouveaux propriétaires l'ont longtemps laissé sous ma garde fidèle.

Si j'avais assisté à bien des fêtes, chez le prince d'Othen, à la cour de France et même chez Mme de Pompadour, ce mariage me parut la plus belle, la plus chaleureuse, la plus divertissante. En dehors du fait que cette noce me touchait intimement, je me suis interrogé sur la raison de mon emballement. Avec l'ami Amati, nous avons pensé que l'abondance des uniformes galonnés d'or, leurs couleurs panachées éclatantes sous le soleil donnaient à la cérémonie l'allure d'un grand tableau vivant.

Il faut dire qu'il y en avait, des militaires ! Des généraux, des colonels, des capitaines de toutes les armées. Dans des tenues mémorables, superbes. Pourtant, j'ai toujours trouvé stupide que les hommes se fassent la guerre. Que ne nous imitent-ils pas ! Nous, instruments de musique, nous nous disputons parfois mais le premier concert joué ensemble renoue l'harmonie. Vous voyez les Stradivarius livrer bataille contre une coalition de Guarnerius et d'Amati ?

*

Il eût été inimaginable que cette mémorable journée où les chapeaux fleuris des dames se mêlaient aux képis galonnés des officiers et aux hauts-de-forme des messieurs pincés en redingote s'achève sans que ses héros ne célèbrent la musique qui les avait réunis. Lorsqu'ils montèrent sur l'estrade, nous comprîmes que notre heure était venue d'ajouter nos voix au concert d'amour des épousailles.

Teresa prit l'Amati et Théodore me saisit de sa puissante main d'artilleur. La divine attendit que les applaudissements se calment pour saluer et annoncer d'un timbre ému :

— Mon mari, le capitaine Théodore Parmentier, et moi allons interpréter une *Polonaise* de mon maître monsieur

Habeneck que j'ai souvent jouée avec Maria, ma sœur bien-aimée, en ouverture de nos concerts. Nous dédions cette œuvre à l'ange qui nous regarde du ciel.

Un instant, l'ombre de la petite prodige flotta sur l'assistance puis Teresa entama les premières mesures. Je fus sans doute le seul, avec elle, à sentir que le capitaine jouait en retenue, sans l'assurance et la fougue que demandait l'interprétation d'une polonaise. Teresa heureusement emporta la partie.

À la fin, j'entendis Théodore souffler à sa femme :

— Je suis désolé. Les franges de mon épaulette balayaient le cordier à chaque coup d'archet. Je ne sais vraiment pas comment j'ai pu arriver au bout !

Teresa se retint pour ne pas éclater de rire :

— Ne vous tracassez pas, mon ami, lui murmura-t-elle. Puisque le violon n'aime pas les fanfreluches militaires, vous allez passer tout de suite au piano. Je crois que la *Sonate n° 3* de Beethoven nous ira mieux.

C'était un morceau difficile mais Théodore qui, épaulette ou non, n'était pas un violoniste extraordinaire, jouait fort bien du piano. Je retrouvai donc avec bonheur le duveteux contact du cou de ma maîtresse tandis que le duo obtenait un si grand succès qu'il fallut doubler le dernier mouvement.

Les applaudissements crépitaient encore lorsque les jeunes mariés nous renfermèrent sans ménagement dans nos boîtes. Ce manque d'égard m'aurait normalement déplu mais j'étais content que la journée s'achève aussi joliment. À la vérité, ces assemblées festives qui réjouissent les hommes et les femmes me semblent, à la longue, un peu puériles.

*

Adieu donc aux grandes villes d'Europe, à Vienne capitale de la musique, à Berlin où nous avons apprécié les plus grands triomphes, à Paris où j'ai connu les meilleurs violonistes de l'époque, à Londres où mon cher Dragonetti m'a fait le plus beau cadeau du monde en me léguant à Teresa.

J'ignorais ce qu'allait devenir ma vie mais je n'imaginais pas une seconde que l'épouse du capitaine Parmentier puisse se séparer un jour de moi. Je resterais plus souvent dans ma boîte, voilà tout ! Et, comme elle, j'oublierais l'ivresse des acclamations, je la suivrais comme elle suivrait son mari dans ses garnisons successives et guetterais les moments de fièvre qui préluderont aux concerts de charité.

Les humains ont le privilège de pouvoir faire des projets, de prévoir la tournure que prendra leur existence, ou tout au moins d'essayer. Un violon ne sait jamais ce que lui réserve un lendemain ne dépendant en rien de lui. Mais est-ce un désavantage ? Je n'en suis pas certain. Se laisser aller au gré d'événements sur lesquels on ne possède aucun ascendant, comme dans une valse de Strauss, s'avère assez grisant.

Pour moi, la vie aura toujours été une loterie. Et j'ai souvent eu la chance, le privilège même, de tirer le gros lot !

Opus 5

Nous vécûmes ainsi des jours calmes entre Malzéville et Strasbourg où mes maîtres, puisque j'en avais maintenant deux, avaient emménagé dans un agréable appartement de la place Kléber. Teresa m'emmenait parfois en visite chez des amis, ce qui me permettait d'affirmer une prééminence, plutôt suffisante je le concède, sur mon compère Amati.

Une nouvelle inattendue vint mettre un peu de piment dans notre existence devenue monotone. Strasbourg abritait un excellent atelier de lutherie tenu par les frères Schwartz où Teresa était naturellement reçue comme une reine. Le magasin était aussi fréquenté par les professionnels de passage, virtuoses et compositeurs, luthiers, collectionneurs, marchands venus de tous horizons. Georges Schwartz se distinguait comme archetier et son frère Théophile construisait des violons et des violoncelles dont l'étiquette « À Saint-Thomas » était recherchée.

Une vieille connaissance, Luigi Tarisio, le pittoresque globe-trotter de la lutherie, ayant souvent été l'hôte de la maison Schwartz quand il remontait d'Italie, son sac garni de violons, ne manquait jamais de s'y arrêter. Il avait même vendu plusieurs instruments aux deux frères. Comme chez Dragonetti, il assurait toujours des entrées fracassantes et ne cessait de vanter les extraordinaires qualités du violon dont il se disait propriétaire et qu'il affirmait montrer un jour : le fameux Messie. On parlait souvent de ce personnage fantasque chez Schwartz quand, un jour, l'un des deux luthiers remarqua, en s'adressant à Teresa, que Tarisio n'avait pas pointé le bout de son nez depuis longtemps :

— Ou il est mort, ou il coule des jours heureux de rentier en extase devant son instrument fétiche !

*

Ce ne fut pourtant pas Luigi qui débarqua peu après à la lutherie Saint-Thomas mais un autre fanatique des violons, Jean-Baptiste Vuillaume, arrivé à Strasbourg avec un chargement qui faisait crier les essieux de sa voiture. Par bonheur, Teresa m'avait emmené ce jour-là chez les deux frères pour un minuscule trou de ver qui l'inquiétait. Je pus donc écouter la plus fabuleuse des histoires.

— Que transportez-vous donc dans votre carrosse, maître Vuillaume ? s'enquit Georges Schwartz en accueillant le luthier parisien.

— Des violons, mon ami ! Je viens d'acheter aux héritiers de Luigi Tarisio, tout juste décédé je vous l'apprends sans doute, les instruments qu'on a découverts dans la misérable chambre qu'il occupait à Milan et où personne n'était entré de son vivant. Des voisins ont trouvé notre vieux fou gisant au milieu de vingt-quatre Stradivarius, d'altos et de violons de Guarnerius et de Guadagnini, et d'autres instruments de moindre importance. En tout cent quarante-quatre !

— Et le Messie ? interrogèrent en chœur les deux frères et Teresa. Se trouvait-il dans la chambre ? L'avez-vous aussi acheté ?

— Peut-être. J'ai en effet remarqué dans le lot un magnifique Stradivarius daté de 1716. Je crois qu'il pourrait s'agir de l'enfant chéri de Tarisio. Je vais l'examiner de plus près, dès que je serai de retour à Paris.

— Vous avez fait, monsieur Vuillaume, ce qu'on appelle une bonne affaire. Sans doute avez-vous eu toutes ces merveilles pour une bouchée de pain. Mais comment êtes-vous parvenu à arriver le premier sur les lieux ? demanda Théophile qui se serait bien vu à la tête d'un pareil trésor.

— Dès que j'ai appris, par hasard, la mort de Tarisio, j'ai sauté dans une voiture de louage, suis passé à la banque prendre des lettres de crédit et j'ai galopé vers Milan sur des routes enneigées. J'avais l'adresse des héritiers, cousins de Luigi Tarisio, à Fontanetta, un petit village du Milanais. J'y trouvai, à la ferme de La Croix, une famille qui vivait dans la pauvreté. Je respirai en découvrant qu'aucun acheteur ne s'était encore manifesté. Je me défends d'avoir volé ces pauvres gens à qui j'ai fait une offre bien supérieure à celle d'un brocanteur local à qui ils auraient cédé les violons dont ils ignoraient évidemment la valeur. Cela dit, j'admets que j'ai réalisé une affaire comme on en rencontre peu au cours d'une vie de luthier. Les frères Hill étaient sur la piste. Dommage pour eux, ils sont arrivés trop tard. Mais je leur ai revendu quelques bons italiens pour les consoler. Le Messie – je pense vraiment que c'est lui – rapporterait une fortune mais il n'est pas dans mes intentions de m'en séparer. Tarisio l'a gardé, je le garderai et le prêterai à des artistes de mon choix pour des manifestations musicales exceptionnelles. Ah ! je ferai autre chose : je le copierai !

Après ce discours, le très sérieux M. Vuillaume esquissa un pas de danse qui surprit tout le monde et prit congé, exactement comme l'aurait fait le fantasque Tarisio. Sans nous avoir montré le désormais mythique Messie.

*

— C'est à croire que ce violon rend fou ceux qui le possèdent ! dit Teresa en reprenant sa conversation liée à la trace minuscule laissée sur les stries de mon dos par un ver sans usages.

C'est finalement fort longtemps après la rencontre de Strasbourg que j'ai eu des nouvelles du Messie. Vuillaume, malgré toutes les offres, ne l'a jamais vendu. Son gendre, le virtuose Delphin Alard, en a disposé et l'a joué toute sa vie. Et, aujourd'hui, le malheureux chef-d'œuvre de Stradivarius est exposé au musée d'Oxford, la pire punition pour un grand violon.

Opus 6

Peu à peu, ma vie auprès de Teresa et son mari me parut moins agréable et excitante qu'au temps du triomphe. Mais il aurait été inconvenant de me plaindre, tant la musique restait reine au foyer des Parmentier, et Teresa me jouait régulièrement dans le cercle de ses relations intimes. Hélas, la vie militaire a ses exigences et les galons ne font rien à l'affaire. On expédie les officiers comme de vulgaires paquets aux quatre coins du pays. Je ne sais ce que l'ingénieur-artilleur Parmentier avait à faire à Toulouse, Tours ou Grenoble mais son épouse dut, à chaque déménagement, installer un nouvel appartement, s'habituer à une nouvelle vie, connaître et recevoir d'autres personnes et trouver des partenaires de qualité pour monter un quatuor. Le capitaine, au gré de ses affectations, s'était vu nommer chef de bataillon puis colonel. Je remarquais ses promotions aux dorures de ses tenues et aux colifichets qui le gênaient pour jouer. Il y avait heureusement les concerts de charité auxquels ma maîtresse apportait généreusement son concours et qui nous rappelaient le bon temps.

*

Une chose me frappait, et me désolait. Teresa, l'une des meilleures violonistes de son époque, célèbre et encensée par la critique, devenait, après avoir renoncé à sa carrière, une inconnue pour un public qu'elle avait pourtant enchanté et dont elle avait été l'idole. La gloire de Teresa Milanollo, à force de renoncements, de silence, de changements d'adresse, s'était diluée progressivement dans la banalité provinciale. La presse l'ignorait, elle s'était métamorphosée en l'épouse du colonel Parmentier, jusqu'à gommer sa propre identité de virtuose. Certes, ma Teresa avait – elle le rappelait comme à regret – quarante-trois ans, un âge paraît-il avancé pour une femme. Mais quand même...

*

C'est à cette époque qu'une étrange fébrilité commença de s'installer en France. Nous étions alors dans une ville dont j'ai oublié le nom et où les gens tenaient des propos incompréhensibles. Il était question de Guillaume II, roi de Prusse, d'un ambassadeur, d'une dépêche venue d'Ems, ville qui me disait quelque chose car Teresa y avait été jadis ovationnée. On parlait aussi beaucoup d'un chancelier, un ministre prussien, Bismarck, qui semblait fort méchant homme, belliqueux en diable.

Et puis, un jour, le colonel quitta brusquement l'appartement et partit pour Paris où, Teresa le répétait aux voisins, il devait aider un général à construire des fortifications. Je compris qu'une guerre entre la France et la Prusse menaçait d'éclater.

*

C'est ce qui arriva et je serais bien embarrassé de vous raconter les péripéties d'un conflit qui fit, paraît-il beaucoup de morts, ayant passé toute cette époque enfermé dans ma boîte rangée dans un placard. Ma maîtresse était elle-même revenue à Paris où une cousine lui prêtait un petit logement du côté de la Bastille. Teresa m'avait bien sûr emmené mais ne joua aucune note de musique durant tous ces mois. Il m'était déjà arrivé de demeurer en pénitence, mais jamais dans des circonstances aussi dramatiques.

Plus tard, quand la vie redevint à peu près normale, j'appris que la guerre avait été terrible, que les Prussiens l'avaient gagnée et qu'ils avaient campé place de la Bastille, à deux pas de notre domicile. Je sus aussi que Théodore Parmentier avait été fait prisonnier à Sedan, encore une ville où nous avions joué. Quand il revint, il n'avait plus de galons mais des feuilles de chêne et des étoiles. Général, c'est je crois ce qu'on fait de mieux dans l'armée, un peu comme un Stradivarius en lutherie.

Nul ne fut, en tout cas, plus content que moi de la fin de ce conflit. Je n'oublierai jamais ce jour où Teresa dit à son mari retrouvé :

— Chéri, si nous jouions une sonate de Beethoven pour fêter ton retour ?

Opus 7

J e retrouvai la liberté et la vie reprit. On entendait partout les gens affirmer que les Prussiens, occupant la France depuis la défaite de cette année 1870 et la chute d'un certain Napoléon III, prenaient tout et qu'il ne restait rien à manger aux Français. Manger, manger, les humains ne pensent qu'à cela. Je me dis que si nous vivons si vieux, nous violons, c'est parce que nous n'avalons pas tous les poisons dont se repaissent les hommes !

*

Comme la guerre avait multiplié les cohortes de démunis, Teresa retrouva son activité charitable, ce qui me plut. Je me rappelle entre autres être allé à Rouen participer, avec l'orchestre de Pasdeloup, à un récital au profit de la souscription patriotique. Nous avons aussi joué à Paris dans la salle du Conservatoire pour l'Œuvre des orphelins de la guerre.

*

Nous déménageâmes ensuite dans un bel appartement situé près de la place de l'Étoile. Mes maîtres purent consacrer une grande pièce à leur passion, un vaste salon de musique où je me retrouvai enfin sur le velours d'une longue table près des violons qui avaient accompagné Teresa au gré de sa carrière. Il y avait bien sûr mon vieux compagnon l'Amati, qu'elle avait acheté un peu avant que je ne lui fusse offert et qu'elle avait continué de jouer de temps à autre pour ne pas le laisser dépérir. Refusant de se séparer de ses instruments, elle avait conservé aussi un Carlo Bergonzi, un Thibout encore tout jeune offert par un riche amateur et, bien entendu, le magnifique Gasparo da Salo légué par Dragonetti à Maria. Au bout de la table était installé le touchant demi-format de Kloz, un luthier tyrolien, acheté pour la jeune Teresa alors âgée de dix ans. Je crois que ma maîtresse avait autant d'affection pour ce petit violon de ses débuts qu'elle en éprouvait pour moi, mais je n'en ai jamais été jaloux.

Opus 8

Je n'ai pas gardé de grands souvenirs de la période qui suivit. Je sais que Teresa se garnit de plus en plus de cheveux gris et qu'elle finit par devenir toute blanche, ce qui lui seyait bien. Je me rappelle aussi que le général souffrait d'une vieille blessure à l'épaule et qu'un jour il dit à son épouse :

— Je suis désolé, ma chérie, mais je crois que je ne peux plus tenir un violon. Je t'écouterai désormais et profiterai davantage de ton talent qu'en peinant à te suivre dans nos duos.

M. Parmentier en effet ne toucha plus le Bergonzi, mon vieux voisin de table. Heureusement on ne le rangea pas et il put continuer de me raconter les péripéties et secrets de l'époque où je n'avais pas encore été donné à Teresa et où elle le jouait dans ses concerts. J'aimais toujours entendre l'histoire des premiers triomphes de ma maîtresse.

*

Il est doux de ne pas vieillir, mais on ressent plus vivement la peine de voir les humains qui vous sont chers

295

prendre de l'âge et perdre peu à peu leurs forces. J'étais tellement proche de Teresa que la maladie qui devait l'emporter m'éprouva intimement.

*

J'ai ainsi en mémoire la visite que lui fit Mr. Hill. Je n'aimais pas trop ce gentleman qui avec ses airs de chatte-mite ne faisait que courir après les bonnes affaires, mais il m'a sauvé d'un mauvais pas.

Comme Teresa lui disait qu'elle me léguait dans son testament au Conservatoire de Milan, il lui rétorqua avec douceur mais fermeté que les violons déposés dans les musées étaient destinés à une ruine certaine, qu'ainsi immobilisés ils étaient malheureusement morts pour l'art. Cette conversation me fit froid dans le dos.

Heureusement, ma maîtresse apprécia la justesse de ces remarques et déclara qu'elle allait modifier son testament dans le but de prescrire ma mise en vente afin que le produit soit joint à d'autres sommes laissées aux conservatoires de Paris et de Milan. Cette nouvelle volonté n'était pas exempte de risques, mais valait mieux que la perspective prochaine de l'empoussiérage dans une vitrine sinistre. Je n'avais plus qu'à espérer une chance qui me serait favorable et m'attribuerait un bon maître.

Opus 9

Le malheur ne tarda pas. Teresa s'éteignit une nuit et le remue-ménage de la mort envahit la maison comme jadis celle de Leicester Square au décès de Dragonetti. J'aurais voulu qu'un bon violoniste songe à me permettre de dire adieu à ma maîtresse, mais personne ne vint me chercher le jour où j'entendis à travers les portes qu'on emmenait ma chère Teresa à l'église puis au cimetière. Je n'entr'aperçus que le temps d'un soupir le général traverser la salle de musique. Il avait revêtu son uniforme de cérémonie, portait toutes ses médailles et un brassard de crêpe. Il subissait crânement l'épreuve. Comme à Reichshoffen où il avait été blessé.

J'appris que l'enterrement avait été très simple, que Teresa avait été inhumée dans le grand cimetière du Père-Lachaise, partageait la même sépulture que sa sœur Maria, et qu'elle avait vécu soixante-dix-sept années.

*

Vint ensuite le temps des bavards, ces messieurs en noir arrivés à pas feutrés pour parler d'argent. J'avais connu cela à Londres et ne fus pas étonné quand ils nous chassèrent de notre table. On me laissa heureusement sur une étagère et je pus apprendre ce que Teresa avait décidé pour la partie de sa fortune ne revenant pas à son mari.

Elle la partageait équitablement entre l'Italie, sa patrie d'origine, et la France, sa partie d'adoption : cent mille francs au Conservatoire de Milan et cent mille francs à celui de Paris, dotations dont les intérêts devaient aider les élèves des classes d'instruments à cordes les moins fortunés. Elle léguait à Savigliano, sa ville natale, tous les souvenirs artistiques offerts aux deux sœurs.

Cela n'avait pas grand intérêt pour moi, qui attendais plutôt de savoir où allaient se retrouver les huit violons que Teresa avait gardés jusqu'à sa mort. Le notaire annonça que le beau Gasparo da Salo reviendrait à sa cousine germaine, Mme Adélaïde Roeder, violoniste professionnelle de talent. L'Amati qui avait appartenu à Maria irait à une autre jeune cousine, violoniste elle aussi. Restait le Bergonzi, un magnifique instrument que je juge personnellement meilleur que les deux autres, laissé à son mari.

— C'est bien, dit-il, qu'un des violons de Teresa Milanollo demeure dans sa maison. Je le surveillerai et l'entretiendrai en souvenir de ma chère épouse.

L'un des exécuteurs testamentaires fit remarquer que le Bergonzi était rangé dans une riche boîte au chiffre de Teresa en compagnie de deux archets, dont un Peccatte à la hausse garnie en or et portant son nom, offert par le Cercle musical de Lyon. L'autre archet, donné par le compositeur Bériot, était le plus cher au général, c'était celui dont se servait couramment Teresa. Restait le Thibout légué à un autre neveu, violoniste amateur, et le Silvestre à la tête sculptée de Teresa donné au musée du Conservatoire de Paris.

*

Moi, je ne bougeai pas de la maison, attendant que M. Parmentier décide de mon sort. À qui donc allait-il me céder ?

Je pariai pour l'Anglais Hill qui n'avait certainement pas conseillé à ma maîtresse de me négocier sans entrevoir une fructueuse transaction. J'avais raison : il revint peu après et offrit de m'acheter pour la somme de vingt mille francs. M. Parmentier, épuisé, accepta et le regretta mais Mr. Hill avait versé le jour même à la banque le prix convenu et le général n'était pas homme à revenir sur sa parole.

Peu avant que l'Anglais vienne me chercher, j'entendis le général raconter à sa cousine :

— Hill a profité de mon désarroi. Accablé de chagrin, je n'étais pas en état moral de faire du commerce et de négocier une surenchère. Je crois qu'il eût été facile d'obtenir un meilleur prix du Stradivarius.

C'était la vérité. Mr. Hill n'attendit pas longtemps pour me revendre, à un prix beaucoup plus élevé, à un amateur écossais. Mes errances reprenaient.

Opus 10

La disparition de ma chère Teresa marqua le début d'une période terne que les humains trouveraient tragique et que j'ai acceptée avec philosophie, trop content de ne pas m'étioler dans un musée. J'avais eu tellement de chance jusque-là que je trouvais normal que le sort me soit devenu moins favorable. Je ne me rappelle même pas entre les mains de qui je suis passé après mon Écossais qui se croyait un virtuose quand il avait bu plus que de raison et soufflait son haleine fétide sur mon délicat vernis. Marchands, collectionneurs, amateurs fortunés... Je sais en tout cas que nul violoniste digne d'Antonio Stradivarius ne m'a joué en cette époque-là.

*

J'ai commencé à revivre le jour où j'ai été mis aux enchères à Londres chez Sotheby's. C'est la seule vente à laquelle j'ai été amené à participer et je me rappelle l'animation extraordinaire qui régnait dans la salle bondée et surchauffée. Un gentleman m'a présenté à la foule comme le Saint-Sacrement et a vanté mes mérites d'une manière que j'ai jugée moi-même exagérée. C'était flatteur et je ne boudais toutefois pas ma fierté quand l'homme en noir commença à brandir une sorte de maillet, à désigner les gens du doigt et à tonitruer des suites de chiffres qui glissaient, incompréhensibles et assourdissants, entre mes ouïes.

Soudain, monsieur l'*auctioner*, comme on l'appelait, ferma le robinet de sa machine à compter, leva son marteau et l'abattit dans un bruit mat sur son bureau en annonçant : adjugé !

*

Voilà, simplement contées, les circonstances théâtrales et divertissantes de mon acquisition par un monsieur au teint cuivré qui portait sur la tête un foulard vert joliment plié. J'apprendrai bientôt que ce gentleman qui avait dû dépenser une fortune pour me posséder s'appelait M. Ratnagar, qu'il était indien, passionné de musique, bon joueur amateur de violon et surtout... immensément riche.

QUATORZIÈME LIVRET

Un violon heureux

Opus 1

Un jour, dans la chambre du Claridge où nous demeurions, M. Ratnagar me regarda avec douceur, comme souvent, et me déclara du ton pompeux qu'il affectionnait :

— Mon beau violon, fils du maître luthier Stradivarius, vois-tu, nous partons demain. Un avion, un Constellation à quatre moteurs, va nous emporter vers le doux pays de Maharashtra, ta nouvelle patrie, et Bombay, une ville fabuleuse où ma famille vit dans une maison qui semble bâtie pour faire résonner ta divine caisse aux contours de déesse. Je sais que je ne suis pas un très bon violoniste et que je ne parviendrai jamais à tirer le meilleur de tes possibilités, mais de grands virtuoses internationaux viennent en Inde et seront ravis de te jouer. En tout cas, tu seras soigné et traité comme un dieu et tu verras comment les Indiens vénèrent le Bouddha !

*

M. Ratnagar aimait parler. Aux gens, et à lui-même lorsqu'il se trouvait seul. Il avait décidé, j'en ai immédiatement eu l'impression, de me considérer comme un interlocuteur privilégié. Rien ne pouvait me faire plus plaisir. Quant à partir au loin, la perspective m'était indifférente. Seuls m'intéressaient les humains devant vivre avec moi. L'inconvénient, c'était de rester enfermé dans ma boîte le temps du voyage. J'aurais pourtant bien aimé voir à quoi ressemblait un avion, ce moyen de locomotion dont les hommes faisaient grand cas depuis quelque temps. Tant pis, je profiterais de ma claustration pour rêver à la vie qui m'attendait dans l'Inde mystérieuse de M. Ratnagar.

Opus 2

C'est lui qui me rendit à la lumière et la lumière était douce. Elle inondait une pièce qui me parut immense, aux murs couverts de peintures bizarres et meublée de tables et de chaises décorées d'entrelacs colorés. Tout me semblait étrange dans ma nouvelle vie. Et je n'avais pas fini de m'étonner !

M. Ratnagar me présenta à son épouse, une belle femme enveloppée de soie mauve, et à ses trois filles habillées de la même manière mais dans d'autres tons. Ici, Rashan Ratnagar se vêtait à l'indienne, d'une longue veste brodée d'or tombant sur un pantalon serré avec, aux pieds, de curieuses chaussures à bout retourné.

*

Comme son vaste palais, mon nouveau maître affichait un côté théâtral qui m'impressionnait. Il me montra à sa famille en me brandissant à bout de bras, comme jadis Viotti à la fin des concerts, et, enflammé, entonna :

— Voilà le meilleur et le plus beau violon du monde. C'est le chef-d'œuvre d'Antonio Stradivarius.

Ensuite, passionnément, il me décrivit comme l'aurait fait Mr. Hill dont il avait appris la leçon :

— Regardez le fond constitué de deux pièces d'érable à petites ondes courtes, serrées, légèrement montantes sur les bords. La table est aussi réalisée avec deux pièces d'épicéa au grain plein de finesse. La volute, magnifique, a conservé son chanfrein cerné de noir. Quant au vernis orangé sur fond doré, je vous laisse juges.

Chacun me prit alors en main, scruta mes veines, voulut lire l'étiquette par la fente de mon ouïe et fit tinter mes cordes. Ratnagar reprit :

— J'ose à peine le jouer devant vous car mon modeste talent d'amateur est indigne de cet instrument fait pour les meilleurs virtuoses tels Viotti, Paganini et Teresa Milanollo qui ont fait vibrer son âme.

Il osa pourtant. Et je dois dire que je n'éprouvai aucun plaisir à sonner sous son archet hésitant dans ce salon bardé d'or, face à une énorme statue luisante qui, je l'appris vite, incarnait Bouddha.

*

M. Ratnagar jouait souvent faux, ses vibratos inutiles me donnaient le tournis et ses contre-temps le hoquet. Mais, comme il insistait – après tout, je lui appartenais –, je devais me résigner, apprécier sa bonne volonté et sa dévotion à mon égard. Si seulement j'avais pu lui conseiller de tendre convenablement sa chanterelle et de me traiter franchement, sans avoir peur d'un nom inhibant tant de gens ! L'extrême gentillesse de M. Ratnagar aidait heureusement à oublier les moments où il décidait d'agacer mes cordes, instants qui, après l'emballement du début, devinrent de moins en moins fréquents.

Quant aux trois filles de la maison, bonnes musiciennes, elles étaient pianistes ! Seule une petite-fille avait choisi le violon et s'avérait, murmurait-on, très douée. Hélas encore, elle étudiait la musique à Cambridge. Je l'ai tout de même rencontrée une fois, lors de vacances où elle me joua avec une chaleur et un sentiment qui me firent songer à Teresa.

Opus 3

Au fil du temps où je suis resté dans le palais, j'ai connu d'intenses joies, fantastiques pour un violon noble rêvant en permanence d'un interprète génial. M. Ratnagar ne m'avait pas menti : des virtuoses aux noms prestigieux comme Stern, Menuhin et Grumiaux vinrent se produire en Inde, à Bombay comme à Delhi. Et chaque fois, à la demande de mon maître, ils me jouèrent soit au palais, soit en concert. Je me rappelle ainsi que Grumiaux déclara à M. Ratnagar que l'équilibre et l'égalité tonale de toutes mes cordes faisaient qu'il me préférait au Titan, un autre Stradivarius qu'il était en passe d'acheter.

Mais ma sonorité éclatante n'était pas à vendre. M. Ratnagar tenait trop à moi. Je constatais même avec plaisir qu'il s'habituait à mes réactions, ne m'attaquait plus brutalement et parvenait à produire de plus en plus régulièrement la pureté du timbre et la richesse de ma sonorité. Je savais que mon maître ne me maîtriserait jamais à la manière d'un Viotti, d'une Teresa ni même d'un amateur fort doué, mais il ressentait tellement de bonheur à me jouer que je partageais un peu de son enthousiasme et vivais grâce à lui des heures calmes sous les cieux du Bouddha.

*

Seul le climat me posait un problème. Je me rappelais la crainte qui taraudait mon père de voir partir ses violons dans des pays trop humides. Or, à l'époque, il ignorait l'Inde et la mousson. Bombay ajoutait en effet à cet excès néfaste une température étouffante. La crainte de voir mes fibres mal réagir à ces conditions climatiques ne me quitta pas les premiers temps. Heureusement M. Ratnagar veillait. Il me gardait dans la pièce la plus fraîche du palais et m'essuyait soigneusement après chaque séance avec un mouchoir de soie dont je n'ai pas oublié le velouté, le même qu'il disposait en mentonnière avant de me jouer.

Je garde en tout cas de bons souvenirs de ce séjour en Inde et sais gré à M. Ratnagar, grand collectionneur et admirateur farouche des Stradivarius, de m'avoir évité le supplice du musée.

Opus 4

Un jour pourtant j'appris, au hasard d'une conversation avec sa fille Maya, qu'il avait écrit à la maison Hill pour demander le montant de la somme que lui rapporterait mon retour à Londres. En entendant la nouvelle, j'éprouvai, comme chaque fois qu'un maître se sépare de moi, un certain ressentiment. Pourquoi se débarrasser de moi ? Je ne le satisfaisais plus ? En vérité, je compris rapidement que son grand âge et une prudente préparation de sa succession étaient à l'origine de mon abandon. Il me restait à espérer que Hill & Sons ne me garderaient pas longtemps dans leurs coffres de bois et dénicheraient vite l'acquéreur idéal.

*

Un gendre de M. Ratnagar me ramena à Londres, dans ce vénérable magasin qui avait changé d'adresse mais pas de distinction. L'arrière-petit-fils du Hill ami de Dragonetti nous reçut avec pompe et douceur. Il me regarda attentivement et déclara :

— Les grands violons vont et viennent mais ils repassent toujours par les mains d'un Hill. Nos luthiers vont examiner le Milanollo et, si c'est nécessaire, arranger certaines petites choses. Mais il a été bien soigné par M. Ratnagar et me semble en parfait état. Plusieurs grands violonistes cherchent un instrument digne de leur talent et nous n'aurons pas de mal à lui trouver un nouveau propriétaire.

Ces paroles me rassurèrent, m'apaisèrent même, et me laissèrent penser que je ne resterais pas longtemps inactif dans la prison d'acajou de Mr. Hill où j'étais, il faut le reconnaître, en bonne compagnie puisque avec deux Guarnerius, un Amati, un Bergonzi et un Stradivarius placé trop loin de moi pour que nous entamions une causette.

*

Je retrouvai toutefois bientôt ce frère accroché à mes côtés dans l'atelier. Phillip Hill avait en effet décidé de me faire « ausculter », comme disant les humains, pour vérifier ma barre, mon âme, la position de mon chevalet, bref voir si mon long séjour en Inde n'avait pas déréglé ma santé.

Nous regardâmes un moment le meilleur luthier de la maison, Samuel Coolidge, détabler un Vuillaume et, après avoir admiré sa dextérité, en vînmes à retracer nos propres vies. J'obtins comme toujours un succès avec mon passage chez le brocanteur et lui me conta comment, après un long séjour à la cour du roi d'Espagne qui l'avait acheté à son père en 1716, l'année de sa naissance, il avait vécu une aventure tout aussi peu banale. Mais n'est-ce pas le lot des Stradivarius d'être singuliers ?

— Je suis né au cours d'une année faste puisque trois de mes frères sont le Messie, le Cessole et le Médicis, m'expliqua-t-il. Je n'avais pas encore de nom quand Napoléon entreprit la campagne d'Espagne. Jusque-là j'avais mené une vie monotone chez les grands du royaume, seigneurs austères et orgueilleux. L'arrivée des soldats de Napoléon avec ses maréchaux et ses généraux emplumés souleva le pays contre l'envahisseur.

« L'empereur eut beau nommer son frère Joseph Bonaparte roi d'Espagne, les troupes françaises ne réussirent pas à mater le peuple révolté. Il y eut des morts, beaucoup de morts et je n'ai jamais su comment, des salons dorés du palais royal, je me suis retrouvé dans une tente où les Français entassaient leur butin de guerre. Je demeurai là enfermé dans ma boîte à côté de tableaux, de sculptures et d'antiquités durant un temps assez long qui me fit regretter la cour et sa morosité. Je finis par être transporté en France dans les bagages du maréchal Berthier qui ne jouait pas du violon mais me garda chez lui, comme souvenir sans doute. À sa mort, je suis resté dans la famille où personne ne prêta attention à ma noble origine. Je me rappelle vaguement avoir été joué et malmené par des enfants et des amateurs désespérants. Ce long tunnel me rendit finalement à la lumière et je suis reconnaissant au grand luthier parisien Albert Caressa d'avoir sauvé de l'oubli cette carcasse de bois qui porte aujourd'hui le nom envié de maréchal Berthier.

La négligence est l'ennemi des grands violons ! Mais ceux-ci savent attendre l'instant de leur revanche. Comme l'atteste l'épopée de ce frère qui poursuivit son récit en se balançant doucement. À propos, il est plaisant de voir combien les violons, comme les oiseaux, sont heureux de dominer leur monde suspendus à un fil.

— Je ne sais plus dans quelles circonstances ma vie devint soudain un bonheur, reprit-il. L'un des grands violonistes de l'époque, le Hongrois Ferenc von Vecsey, m'acheta et me joua divinement durant de longues années.

Ma fierté reste d'avoir interprété avec lui, en public et pour la première fois, le *Concerto pour violon* de Sibelius et la *Première Sonate* de Claude Debussy. Mon maître, hélas, mourut prématurément et, misère, je fus pendant une triste période enfermé dans la chambre forte d'une banque romaine. Enfin, la sœur de Ferenc von Vecsey, devenue ma propriétaire, me rendit la liberté en me cédant à un richissime Italien qui commença avec moi l'une des plus importantes collections européennes. Il n'était heureusement pas du genre collectionneur castrateur, et m'a souvent prêté à Franco Gulli qui forme avec sa femme, la pianiste Enrica Cavallo, un magnifique duo. Pour l'instant, je suis en révision chez les frères Hill et j'attends ce que me réserve l'avenir.

Comme moi, en somme.

Opus 5

J'avais réintégré depuis peu l'armoire aux trésors, surnom donné dans la maison au coffre où étaient entreposés dignement les violons précieux, quand Phillip Hill me sortit et me posa sur la table qui avait vu passer sur son drap vert tant d'instruments célèbres. Lorsqu'il ouvrit ma boîte, un homme souriant, aux yeux pétillants de curiosité, se pencha sur moi. J'entendis qu'il s'agissait du luthier parisien Étienne Vatelot, dont on avait souvent vanté la compétence et qui comptait dans sa clientèle les plus grands virtuoses. « À Londres il y a Hill, à Paris il y a Vatelot », affirmait ainsi M. Ratnagar.

*

— J'ai trouvé il y a quelques années pour Christian Ferras un bon Stradivarius de 1721, le Président, dit-il à son confrère londonien. Aujourd'hui, il me demande de lui en chercher un autre avec un *sol* plus gras et plus ample. Le Milanollo, que je n'espérais pas découvrir chez vous, est peut-être l'oiseau rare dont il rêve. Me permettez-vous d'y passer l'archet ?

Mr. Phillip permit naturellement et le luthier parisien, après avoir rectifié mes accords, me fit sonner de belle manière en chanterelle et en cordes doubles profondes.

M. Vatelot, dont je guettais impatiemment la réaction, déclara en me reposant qu'il n'avait pas entendu depuis longtemps un violon de concert dont la sonorité alliait avec tant de présence puissance et tendresse.

— Je pense vraiment qu'il devrait convenir à Christian Ferras, ajouta-t-il.

*

Entre gens de métier, les affaires se scellent en confiance. M. Vatelot revint en ma compagnie à Paris, afin de me présenter à Christian Ferras. J'avais compris en suivant la conversation des deux amis que ce soliste de réputation internationale venait d'enregistrer avec Herbert von Karajan les concertos de Brahms et de Beethoven. Peut-être allais-je plaire à ce grand homme ? Peut-être allions-nous former une de ces paires mémorables qui laissent leur nom dans l'histoire de la musique ? L'histoire, j'y étais déjà entré avec Viotti et Teresa mais je rêvais de la retrouver dans les bras du virtuose idéal.

Opus 6

Vatelot me conduisit dès le lendemain chez Ferras, rue de Courcelles. À l'ouverture de ma boîte, je découvris un être grand, fort, au visage régulier, très beau aussi, qui me fit penser à la tête romaine en marbre trônant dans le magasin des frères Hill. J'aime aussi juger les hommes sur leur vêtement. Celui de Christian Ferras se montrait impeccable, coupé dans un tissu anglais, à la mode et discret. Je remarquai aussi sa chemise d'un blanc ivoirin brodée de ses initiales. J'en déduisis que le monsieur à qui je rêvais de plaire ne manquait pas de moyens, était raffiné et pas avare. Toutes constatations de bon aloi.

*

— Vous tombez bien, dit Ferras. Hier j'étais encore à Prades où j'ai vécu avec Pablo Casals et Wilhelm Kempf des instants inoubliables. Et après-demain, je repars pour les États-Unis jouer le *Double Concerto* de Brahms avec Yehudi Menuhin et, accompagné de mon complice Barbizet, enregistrer l'intégrale des sonates de Beethoven.

Je saisis d'emblée que Ferras était un grand et que, s'il m'achetait, les voyages me réserveraient de beaux moments. Mais allais-je l'envoûter ?

— Et si vous jouiez le Milanollo en Amérique ? sourit Étienne Vatelot. Hill m'a permis de vous le montrer. C'est, je crois, le violon qui correspond à vos désirs. Essayez-le.

— J'aime sa forme, murmura Ferras en me détaillant, tout de suite intéressé. Il est, je crois, plus fin, disons plus distingué, que le Président, mais sonne-t-il mieux ? A-t-il l'amplitude que je recherche ?

— Si je ne le croyais pas, je ne vous l'aurais pas apporté. Tâtez donc de ce fameux violon qui a été joué par Paganini !

*

Ferras me soupesa, remarqua ma légèreté, m'observa sous tous les angles, dans l'ombre comme à la lumière. Visiblement il savait juger un violon. Enfin – j'attendais ce moment depuis notre arrivée –, il saisit un archet et joua radieusement un morceau que je ne connaissais pas, le *Concerto* d'Alban Berg qu'il venait de créer Salle Pleyel.

Il me tint longtemps sous son archet et m'arracha des sanglots profonds suivis de rires houleux. Je fis tout, naturellement, pour donner de la voix, comme si j'avais voulu être entendu au dernier rang d'un immense théâtre. Nous étions seulement dans un salon du parc Monceau et ce sont les vitres qui tremblaient.

Quand il eut fini, il me reposa avec précaution sur le tapis de la table et, pour la première fois, je le vis arborer un magnifique sourire, content comme un enfant à qui on offre le cadeau dont il rêvait. Ses yeux gris, presque noirs, me fixèrent curieusement et je me sentis délivré quand il annonça :

— Vous avez raison, Étienne. Le Milanollo est un merveilleux violon. C'est lui que j'emporterai à New York mais je veux savoir ce que ce vieux renard de Hill en demande et à combien il évalue le Président. Téléphonez-lui sans attendre.

Vatelot aussi montrait sa satisfaction :

— J'étais sûr de moi mais, tout de même, je suis heureux d'avoir estimé justement vos désirs. Quant au Président, lorsque vous voudrez vous en défaire, je vous trouverai sans difficulté un acquéreur.

Opus 7

J e n'ai jamais connu la somme déboursée par Christian Ferras pour m'acheter mais je sus, dès le premier concert new-yorkais où il me fit jouer Brahms et Sibelius, que je représentais pour lui une révélation. Il me prouvera d'ailleurs son attachement en me gardant jusqu'à sa mort. Combien de temps ? Il paraît que notre idylle a duré quinze ans, de 1967 à 1982, et l'on prétend que c'est long, très long. Pour les hommes sans doute. Pour les violons éternels, il s'agit d'une simple croche dans l'immensité des cantates de Bach.

*

Je ne vais pas conter par le menu tous les voyages où j'ai accompagné mon nouveau maître, les concerts du bout du monde, les chefs illustres qui l'ont invité, les grands virtuoses qui ont partagé ses triomphes. Disons simplement que, comme au temps de Leclair, de Viotti ou de Teresa, j'ai participé à toutes les aventures, toutes les joies, tous les drames aussi.

Il me paraît plus intéressant de décrire la manière très personnelle dont il jouait. Le monde musical considérait

Christian Ferras comme un phénomène. Il m'a de mon côté fallu du temps pour me familiariser avec sa fameuse position, qui l'incitait à dire à ses élèves : « Surtout n'essayez pas de faire comme moi ! » Car sa main gauche ignorait les figures classiques : elle était toujours à cheval, jouait au crabe, formait des doigtés incroyables qui me faisaient frémir tant j'avais peur que ces procédés atypiques ne tournent à la catastrophe. Jusqu'au jour où j'ai compris que c'était justement cette originalité du geste qui procurait à ses phrases mélodiques l'impression de fluidité et les couleurs qui le différencient des autres violonistes. Sa tenue d'archet était aussi inhabituelle, avec le pouce en arrière. Enfin il jouait beaucoup de l'épaule, notamment dans les détachés rapides. Tout ce qu'on interdit à un jeune élève !

Quant à sa sonorité, personne, ni Paganini ni Viotti, n'avait réussi à créer une telle chaleur du son, un tel velouté. Il l'intensifiait par un vibrato à la limite de la résistance musculaire et obtenait des miracles de puissance qui, pourtant, laissaient percer, transparaître, une sorte de fragilité.

*

Sa fragilité ? Personne mieux que moi ne pouvait la ressentir. Et aussi son mystère. Sa femme Béatrice – qu'il avait épousée peu de temps avant de me connaître – n'a pas réussi à épanouir ce solitaire à la personnalité si complexe. Au hasard des conversations, j'avais retenu que seul le violon avait occupé sa jeunesse. Enfant, il n'avait connu d'autre jeu que de frotter un petit quart pour en tirer des sons qui allaient très vite étonner le monde. On répétait, dans les orchestres, qu'à treize ans il avait débuté chez

Pasdeloup et que l'année suivante il avait enchanté Paris avec le *Concerto* de Beethoven au concert Colonne.

Moi, après douze ans de succès ininterrompus, je le retrouvais parvenu à la célébrité mondiale, réclamé par les chefs et orchestres les plus réputés. Il était beau, riche mais je sus vite qu'il cachait un fond de tristesse. Il manquait, dans ses yeux gris, la flamme qui réchauffe la vie.

Opus 8

Je me rappelle un matin d'octobre. Nous étions déjà dans la fin des années 70, le début de la décennie 1980.

La veille, Christian Ferras avait achevé avec Herbert von Karajan et l'orchestre philarmonique de Berlin l'enregistrement de six concertos, ceux de Brahms, Sibelius, Tchaïkovski, Beethoven et les deux de Bach. Un moment épuisant mais magnifique. Et je compte sur mes quatre cordes les interprétations qui ont suscité en moi autant de fierté.

Mon maître aurait dû être satisfait, qui sait, me prendre sous son bras et m'emmener avec sa femme dans sa grosse voiture passer quelques jours de vacances dans sa maison de Montfort. Mais pas de berline bleue, pas de campagne aux gazons craquants de feuilles mortes, rien que le ciel sombre de Paris et un Christian errant en pyjama dans l'appartement que Béatrice avait quitté pour respirer un temps dans les allées du parc Monceau.

*

Un instant, j'ai pensé qu'il allait me jouer. Il m'a porté à son épaule, comme il le faisait toujours au lieu de me caler contre la clavicule, position choisie par tous les violonistes. Ensuite il a tiré trois notes de ma carcasse boisée et m'a reposé aussitôt en soupirant. J'ai cru distinguer une larme couler sur sa joue, tandis qu'il se dirigeait vers l'armoire où je le voyais souvent chercher une bouteille. Je ne sais ce que contenait celle dont il se saisit, mais il versa un grand verre d'un liquide qui ressemblait à de l'eau et le vida d'un trait. Il alla ensuite à la fenêtre et s'abîma un instant dans la vision des dernières feuilles de platane en train de tomber. Après, ébranlé, il alla se recoucher. Ce jour-là, j'ai compris que l'énigmatique et taciturne génie était alcoolique et j'en fus attristé. Il me rappelait Louis-Gabriel Guillemain, le virtuose de la reine qui, jadis, s'était perdu dans l'alcool, les mêmes eaux-de-vie si mal nommées, et avait interrompu sa carrière flamboyante en se suicidant. Pourvu que mon cher Christian ne suive pas une voie aussi funeste !

Opus 9

Il y eut dans notre vie commune des hauts comme des bas. Ferras n'avait jamais été autant demandé. Il jouait toujours aussi divinement mais je devinais qu'il n'avait pu renoncer à l'alcool, tant son existence était ponctuée de crises qui l'empêchaient de s'exercer. À chaque fois, il se redressait puis vacillait. Toujours il reprenait le dessus, enregistrait un concerto avec le violoncelliste Pierre Fournier, allait se faire acclamer à Stockholm, puis annulait dans la foulée une tournée pour passer quelques semaines dans une maison de repos. Béatrice, éplorée, parlait de cure. Lui en sortait vaillant, gourmand de musique, m'embrassait et nous repartions alors pour le Canada, Israël, les États-Unis où il était toujours reçu avec ferveur. Mais, perfide maîtresse, l'alcool ne lâche pas si facilement sa proie. Le mal demeurait, s'installait. On parlait de dépression. Une à une, les firmes de disques le lâchèrent.

Parfois une éclaircie laissait à espérer. Ainsi sa femme put lui montrer un matin un journal, je crois *Le Figaro*, titrant : « Vingt-cinq ans d'accord parfait » pour annoncer le concert anniversaire d'un des duos les plus fameux de l'histoire : Ferras-Barbizet au théâtre des Champs-Élysées.

*

Un peu plus tard, peut-être afin de l'aider à retrouver sa stabilité, il fut nommé professeur au Conservatoire de Paris. Un emploi qui ne me plut en rien. Autant j'aime jouer en concert, autant je déteste les leçons et leurs répétitions lassantes. Ferras, que l'enseignement n'intéressait d'ailleurs pas tellement, m'abandonnait souvent à la maison lorsqu'il se rendait rue de Madrid. J'aimais rester seul avec Mme Ferras, elle qui avait été, avant d'épouser Christian, la femme du chef d'orchestre Georges Sebastian et qui jouait elle-même du violon. Si elle ne s'avérait pas une fantastique virtuose, j'appréciais sa douceur lorsqu'elle m'entraînait dans une fantaisie de Lalo.

*

En dehors des crises d'éthylisme, la santé de Christian Ferras commença dramatiquement à se détériorer. Après une longue éclipse, il revint sur la scène en donnant à la Salle Gaveau un mémorable concert avec le pianiste Pierre Barbizet. On parla de l'amorce d'un retour triomphal, mais il s'agissait plutôt du bouquet final d'un feu d'artifice ayant duré toute une vie.

Moins de trois semaines plus tard, le 14 septembre 1982, une des rares dates que je conserve en mémoire, Christian Ferras, comme jadis Louis-Gabriel Guillemain, mit fin à ses jours. En se jetant de la fenêtre de son appartement et en laissant consterné le monde de la musique qu'il avait si généreusement habité. J'ajoutai le cimetière de Bagneux au pieux tombeau de mes anciens maîtres.

L'aventure Amoyal

Opus 1

J'avais l'impression de vivre une existence toujours recommencée. À chaque changement de propriétaire, après une période d'incertitude plus ou moins longue, j'étais cédé à un personnage inconnu dont je devenais, selon les cas, serviteur docile, simple figurant ou vrai compagnon aimé et respecté. Ma renommée me sauvait en revanche dorénavant des archets sauvages et des violonistes fâcheux. Cette fois encore, je devais attendre celui qui deviendrait le détenteur de ces quelques centaines de grammes de sapin valant une fortune parce que mon père, le grand Stradivarius, en avait assemblé les fibres.

*

Béatrice Ferras, après le drame, me garda dans le salon quelque temps sans me jouer, parce que le moindre son tiré d'un violon la mettait en larmes. Un jour, n'y tenant plus, elle me vendit à un musicien collectionneur, Paolo Jori, qui m'offrit à son épouse Sylvie Gazeau, professeur de violon et chambriste connue. Je me retrouvais à nouveau dans les mains d'une femme, ce qui n'était assurément pas pour me déplaire. Sylvie était un être agréable et talentueux. S'il avait été imaginable de comparer à quiconque le jeu de Teresa, j'aurais admis que son toucher possédait un peu de sa délicatesse.

Elle me jouait en quatuor, formation que j'appréciais d'autant plus que Christian Ferras ne s'intéressait guère à la musique de chambre. Moi, au contraire, j'adore dialoguer avec les altos et les violoncelles, en musique mais aussi en parlant.

*

C'est d'ailleurs après avoir interprété un jour le *Divertimento en ré majeur* de Mozart qu'un alto sympathique me donna des nouvelles de mon frère. Après être passé en de nombreuses mains, le Dragonetti avait été assez longtemps au service du violoniste romain Alfredo Campoli, puis racheté pour la énième fois par Hill.

Il fait paraît-il aujourd'hui la fierté de son propriétaire actuel, le collectionneur Olivier Jacques, de Zurich. Comme j'aimerais revoir un jour, au hasard d'un concert, ce vieux compagnon de Leicester Square !

Mais M. Olivier Jacques aura-t-il la bonne idée de le prêter à un jeune violoniste de talent ?

*

Je me trouvais bien chez les Jori. Sylvie aimait me faire vibrer et si elle ne me procurait pas les sensations extrêmes d'un Viotti ou d'un Ferras, elle savait l'art de mettre en valeur mon timbre et d'aider à étinceler mes aigus. Mon séjour dans leur maison de Neuilly ne dura pourtant que deux étés. Ils décidèrent en effet d'acquérir un appartement rue du Bac, opération financière qui les contraignit à se séparer de moi. Sylvie versa une larme en me jouant pour la dernière fois avant que son mari me confie à Étienne Vatelot pour trouver un acheteur.

Opus 2

J'avais connu bien des luthiers au cours de ma carrière, mais M. Vatelot conservait ma préférence.
C'était lui qui m'avait ramené de Londres pour me présenter à Christian Ferras et je conservais le souvenir de son sourire chaleureux.

— Tiens, dit-il en ouvrant ma boîte – celle du temps de Teresa que Christian Ferras avait tenu à conserver pour me ranger quand nous n'étions pas en voyage –, voilà le Milanollo qui me rend visite !

— Pas pour longtemps, j'espère, répondit Jori. J'attends qu'il trouve un acquéreur avant de signer l'acte d'achat de mon appartement.

— Rassurez-vous. Le Milanollo est un violon exceptionnel et je n'aurai aucun mal à lui décrocher un nouveau propriétaire. Je vois déjà quelqu'un qui le connaît bien et pourrait être intéressé.

*

Je passai deux nuits dans la chambre forte du magasin de la rue de Portalis. Si la maison Vatelot paraissait plus modeste que celui de son homologue Desmond Hill, on y retrouvait la tiédeur ambrée de l'acajou et la fragrance si particulière des vernis flottant depuis Crémone dans tous les ateliers dédiés aux violons du monde.

Et, un matin, je me retrouvai entre les mains d'un jeune homme élégant, à l'air sérieux, qui ne chercha pas à dissimuler son émotion en me regardant.

— Pierre, argumenta Vatelot, ce violon est pour toi, c'est celui qu'il te faut en attendant le moment où tu récupéreras ton Kochanski.

*

Kochanski, le mot fit mouche dans mes éclisses. Kochanski, le Stradivarius volé en Italie à l'une des gloires montantes du violon. Celui qui me tenait n'était autre que Pierre Amoyal, un ami de Christian Ferras que j'avais plusieurs fois rencontré.

On avait beaucoup parlé de cette affaire chez les Jori, de cet acte de brigandage qui faisait les gros titres de tous les journaux. Les bruits les plus divers circulaient : la police avait logé le Kochanski à Turin où il était détenu par une bande inféodée à la Mafia ; le détective engagé par le virtuose démuni de son bien le plus précieux menait une enquête conjointement avec un confrère italien ; les indicateurs fouinaient en Sicile ; une rencontre au sommet avec le possesseur du violon dérobé avait même été annoncée.

Un vrai roman, du genre que les humains appellent « polar », mais qui n'aboutissait en rien à son dénouement ! Les mois passaient et Pierre Amoyal perdait peu à peu l'espoir de retrouver son cher Kochanski. Pour l'heure, il jouait en concert le Faisan doré, le plus célèbre des instruments attribués à Jean-Baptiste Vuillaume qu'un ami lui prêtait.

*

Étienne Vatelot tentait de se montrer persuasif :

— Le Milanollo a été joué quinze ans par ton ami Christian, tu le connais, c'est un violon formidable. Tu n'en trouveras jamais un qui te convienne mieux !

Amoyal remuait la tête pour répondre non. Il me posait, me reprenait et expliquait :

— Je sais pertinemment qu'il s'agit d'un instrument magnifique, mais j'étais trop proche de Christian ; son violon est encore imprégné de sa personnalité, de sa sueur, il me brûle les doigts. C'est absurde : j'ai l'impression que tu me proposes de partir en voyage avec la femme de mon meilleur ami.

Pierre Amoyal me replaça dans ma boîte avec d'infinies précautions que j'appréciai, ferma le couvercle comme à regret, et quitta le magasin en m'abandonnant à ma déception. J'aurais tellement voulu qu'il m'emporte jouer au bout du monde !

*

Le lendemain, il revint. Cette fois avec Leslie, une très jolie femme qui me reconnut pour m'avoir vu dans les mains de leur ami Ferras.

— Il est vraiment beau, dit-elle à son ami. J'ai envie de l'entendre ; joue-moi quelque chose.

Amoyal exécuta les premières mesures de la *Sonate pour violon seul* de Bartok, enchaîna avec Mozart et, au bout de dix minutes, me reposa sur la table avec le même air mêlant accablement et émerveillement. Il murmura :

— Christian est toujours en lui. Le Milanollo n'est pas pour moi.

*

Étienne Vatelot – qui jusque-là n'avait pas ouvert la bouche – lui suggéra alors de m'emporter et de m'essayer Salle Gaveau où Amoyal devait offrir un prochain récital. Avec réticence, Pierre accepta et annonça à Leslie :

— Allons-y tout de suite ; à cette heure, il n'y a aucune répétition.

J'avoue que j'éprouvai une certaine émotion à l'idée d'être joué par un autre que Christian Ferras, dans ce cadre mythique où il avait tant de fois triomphé en ma compagnie. Mais j'avais confiance et, en quelques coups d'archet, Pierre Amoyal acheva de me séduire. Irrésistible dans son jeu, sa fougue, son talent, j'espérais vraiment qu'il me garderait. Mais, une fois encore, il me rapporta rue de Portalis en clamant :

— Je ne peux pas. Ce n'est pas mon violon !

Opus 3

É tienne Vatelot ne se révélait pas seulement un incomparable expert en violons et archets. Il avait acquis, depuis le temps qu'il les fréquentait, une connaissance profonde de la psychologie complexe de ses illustres clients. Il savait comment parler à Yehudi Menuhin ou à Isaac Stern. Avec Amoyal, il préféra user de la résignation :

— Soit, Pierre, je comprends ta décision. L'âme du Milanollo ne peut remplacer celle de ton Kochanski. C'est dommage mais nous allons chercher un instrument déchargé d'une telle intensité émotionnelle.

*

Avant de me ranger, il ajouta :

— Où en es-tu d'ailleurs avec le Kochanski ?

— Nulle part. Le détective que j'ai engagé est en relation avec un confrère de Turin. Leur dernière note est pleine de bon sens mais ne fait pas avancer l'affaire d'un pouce. En gros, il m'explique que, dans la mesure où le violon n'est pas normalement négociable, il convient d'établir un contact avec le voleur, éventuellement par l'intermédiaire de la presse, de lui donner la garantie qu'il ne sera pas inquiété et de monnayer la restitution de l'instrument.

Vatelot hocha la tête :

— Tu y tiens, à ton Kochanski ! C'est, je crois, Desmond Hill qui te l'a trouvé ?

— Oui, mais après une sacrée histoire ! Je lui avais dit, comme à toi, ma quête d'une sonorité spécifique que je pouvais décrire avec précision : des aigus étincelants, jamais métalliques, un médium sûr, des basses amples, bref un violon chaleureux, puissant, qui flamboie avec élégance. Un peu plus tard, lors d'un voyage à Londres, je passai voir Hill qui, avec une extrême courtoisie, me fit répéter les qualités de l'instrument dont je rêvais. Quand j'eus reparlé de la pureté du cristal que je recherchais dans l'aigu, il se dit étonné de la clarté de mes désirs et déclara : « Je ne voudrais pas que vous entreteniez le moindre espoir et que vous repartiez déçu. Je dispose d'un violon qui ressemble beaucoup à votre description mais il n'est pas à vendre. Je vais vous le montrer et vous me direz simplement si je me trompe. » Il alla chercher une boîte, ancienne elle aussi, et me tendit la merveille. Je sus d'emblée que c'était l'instrument que j'attendais. Cette assurance pourrait surprendre un néophyte mais pas vous, cher Étienne, qui savez qu'un violon parle avant d'être joué. Je ne vous décris pas le bonheur que j'éprouvai en l'essayant. Évidemment, je demandai à rencontrer l'heureux possesseur pour lui faire une offre, mais Hill m'expliqua qu'il s'agissait d'un violoniste amateur fou de son Kochanski, un Stradivarius de 1717, la grande époque du maître de Crémone. Cet ancien marchand de poissons en gros, après avoir fait fortune, s'était retiré à Londres où il jouait chaque samedi après-midi avec des amis. Le matin, son chauffeur l'accompagnait chez Hill pour venir prendre le Kochanski et l'y reconduisait le soir afin de le ranger dans le coffre. Ce trafic évitait à l'ancien marchand de harengs de devoir payer une onéreuse assurance.

— Et alors ?

— Eh bien, je suis rentré à Paris en sachant que le violon de mes rêves existait tout en m'étant inaccessible.

— Tu as quand même pu l'acheter ?

— Un an plus tard, Desmond Hill me fit savoir que le violoniste du samedi était vendeur. Contre une forte somme : quatre-vingt-dix mille livres. Un prix énorme pour un garçon qui venait juste d'atteindre une petite notoriété et gagnait deux mille francs suisses par concert. J'aurais renoncé sans l'obstination de Leslie qui fit le tour de sa famille, des banques, de ma maison de disques Erato et des amis. Desmond m'avait accordé un mois pour rassembler l'argent. Trois semaines suffirent à ma femme et je pus rentrer à Paris en serrant contre moi mon précieux Kochanski.

— Je comprends pourquoi tu lui es si attaché, acquiesça Vatelot. As-tu au moins fini de le payer ?

— Terrible ironie du sort, j'ai réglé la dernière traite quelques jours avant avril 1987, date tragique où, à Saluzzo, l'on vola ma Porsche dont le coffre abritait mon Kochanski...

*

Perturbé, refusant de mettre ses notes dans les doigts de son ami défunt, Pierre Amoyal s'abîmait dans ses scrupules, tiraillé entre un devoir de mémoire de grande noblesse et l'envie irrépressible en train de le gagner, de m'avoir à son service en permanence.

Après l'expérience de Gaveau, j'ai ainsi su qu'il n'avait pu fermer l'œil de la nuit. Au petit jour, Leslie s'était absentée. Et dans la matinée, elle revint vers lui triomphante :

— Je viens de revoir le banquier, s'enthousiasma-t-elle. Il accorde le prêt pour l'achat du Milanollo. Non, ne tergiverse plus, nous filons chez Vatelot !

Je revois le visage épanoui, réjoui, heureux, du maître luthier lorsqu'il vint me chercher dans le coffre :

— J'ai toujours su qu'il finirait par craquer. Tu es irrésistible, mon beau Milanollo ! me dit-il.

Étienne Vatelot savait aussi complimenter les violons et savait que je le comprenais. J'étais excité. Inquiet aussi : allais-je être capable de remplacer, sous l'archet de Pierre Amoyal, son Kochanski bien-aimé ?

Opus 4

C'est dans ces conditions romanesques que j'entamai avec mon nouveau mentor une magnifique tournée aux États-Unis. Je retrouvais sous son doigté ailé mes plus grandes sensations et la volupté des ovations sans fin. Comble du bonheur, en dehors du toucher royal avec lequel il me jouait, Pierre Amoyal m'entourait des attentions d'une nurse dévouée. Ainsi, il ne m'enveloppait pas dans un simple linge, comme ses prédécesseurs, mais m'entourait de deux foulards en cachemire doux et moelleux assortis à mon teint.

J'avais une fois de plus trouvé le maître idéal !

*

Si le virtuose m'avait adopté, le Kochanski n'était pas pour autant sorti de sa mémoire. Il en parlait continuellement, suivait minutieusement l'enquête que menaient en Italie ses détectives, la police de Turin et un célèbre avocat romain. Partout où il se trouvait dans le monde, Leslie le tenait au courant et, quand il avait raccroché le téléphone, je lisais sur son visage soit l'espoir soit la déception.

J'aurais pu devenir jaloux, croire que quand il me jouait il pensait à ce frère rival, mais sa bonté à mon égard, son désir de m'apprivoiser, sa volonté réelle de refaire sa vie avec moi eurent raison de ses premières réticences. Je compris qu'il était content de la présence d'un nouveau compagnon et que mes manières ne le décevaient pas.

*

Peut-être suis-je trop sûr de moi – on me l'a assez reproché –, j'ai toujours eu conscience de ma valeur.

Je n'avais jamais entendu sonner le Kochanski, ses formes demeuraient dans les limbes de l'inconnu mais ses qualités, sans doute grandes, ne me donnaient aucun complexe. Dans la noble famille des Stradivarius j'étais convaincu de figurer à son rang, peut-être avant lui, et je me disais, sans forfanterie, que Pierre Amoyal avait de la chance de m'avoir trouvé. Et moi, bien sûr, de partager les succès de l'un des meilleurs virtuoses de son temps.

Opus 5

J'ai vite renoncé à comprendre les épisodes mouvementés de la recherche du Kochanski volé, à décrypter les pistes multiples suivies par les enquêteurs, à me retrouver dans le dédale alambiqué des tractations vouées à l'échec. Je sais seulement que M. Amoyal prenait des notes pour, un jour, relater les incroyables rebondissements de l'affaire[1].

*

Je ne m'étendrai pas non plus sur les incessants voyages effectués en compagnie de mon maître. Toutes les salles de concert du monde se ressemblent et si le plaisir de sonner en public reste vivant, le véritable intérêt de cette vie nomade demeure, pour moi, l'opportunité de rencontres intéressantes.

Il paraît que nous sommes environ quatre cents dans le monde, violons et violoncelles, à porter encore la

---

1. Pierre Amoyal a publié en effet chez Robert Laffont, en 2004, sous le titre *Pour l'amour d'un violon*, le passionnant récit du vol de son Kochanski et des aventures rocambolesques vécues durant quatre ans pour le récupérer. En filigrane, le virtuose raconte sa propre vie.

prestigieuse étiquette « *Antonius Stradivarius, fecit Cremonae* ». Je n'en connais personnellement qu'une dizaine. Sont-ils les meilleurs, les plus élaborés, les plus mémorables parce que placés entre les mains de grands virtuoses ? Où se cachent les autres ? Possèdent-ils des vertus rares que personne ne connaît ou qui ont été oubliées injustement ? Ces interrogations me hantent parfois. Surtout lorsque, au détour d'une discussion, j'apprends l'apparition subite d'un de ces Stradivarius de l'ombre au cours de ventes aux enchères.

*

Mais je vous parlais de rencontres. Celle du violon de Salvatore Accardo m'est restée en mémoire. Nous avions croisé le violoniste à Philadelphie où il était venu enregistrer, avec le grand orchestre de la ville, un concerto de Brahms. Curieusement, je me rappelle Brahms, mais j'ai omis ce que Pierre Amoyal joua avec moi ce jour-là. Bref, tandis que nos maîtres palabraient, je fus posé à côté d'un superbe Stradivarius né un an avant moi et ayant lui aussi partagé les parcours des plus grands artistes. Il me confia s'appeler le Hart, nom d'un violoniste fameux du temps des sœurs Milanollo.

Il me ressemblait, c'est le cas de le dire, comme un frère, son vernis à l'exemple du mien était demeuré intact. Après un échange de politesses flatteuses il me conta son histoire, surtout celle de la longue période où il accompagna le grand virtuose Zino Francescatti avant de devenir, grâce à Étienne Vatelot, la propriété de Salvatore Accardo.

— Accardo, me dit-il, aime raconter une anecdote dont je fus le héros. Après un concert donné à New York, un vieux monsieur vint nous trouver dans la loge et, empreint d'une grande émotion, dit à mon maître combien sa qualité sonore lui rappelait celle de Francescatti. Mon maître lui répondit qu'il possédait une oreille extraordinaire parce qu'il jouait précisément le Stradivarius ayant longtemps accompagné le célèbre violoniste. Il ajouta qu'un artiste abandonne toujours une part de son âme dans un instrument ! J'ai trouvé cela aussi beau que poétique.

*

Quant à moi, joué divinement, traité comme un prince, surveillé nuit et jour, même en avion, par un maître anxieux, je coulais des jours et des mois heureux dans un entourage rêvé pour un violon de concert.

Seuls, je dois l'avouer, me tracassaient les mystères du Kochanski introuvable. Près de quatre années s'étaient écoulées depuis le rapt mais Pierre Amoyal, je le sentais, n'avait pas oublié son violon. Les recherches devaient lui coûter une fortune mais il les poursuivait avec obstination.

*

Un soir, nous étions à Tel-Aviv, une heure avant que ne débute le concert, quand j'entendis mon maître déclarer à Leslie, à la fin de leur conversation téléphonique :

— Tu me dis que nous brûlons, mais je me garde de nourrir un espoir exagéré. Nous avons subi déjà tant de désillusions.

Le Kochanski allait-il revenir à son propriétaire ? Égoïste, je me demandais si, pour moi, il ne s'agissait pas d'une fâcheuse nouvelle. Mais il ne se passa rien de nouveau dans l'immédiat et nous repartîmes pour un concert à Mexico avec l'orchestre symphonique national du Mexique.

Au retour, Pierre ne s'attarda pas à Paris et nous embarquâmes dans la première correspondance pour Genève, où sa femme nous attendait. Afin de se détendre, il aimait prendre le volant après un voyage en avion. Il m'installa donc entre eux et allait tourner la clef du démarreur quand Leslie, un malicieux sourire aux lèvres, lui tendit une enveloppe. Sur une carte, elle avait collé une photo du Kochanski et écrit : « Je suis un peu poussiéreux mais viens me chercher à Turin. Je t'attends. »

Incrédule, il observa son épouse qui, d'un mouvement de tête, confirma la prodigieuse nouvelle. Alors, mon maître s'effondra dans ses bras en pleurant comme un enfant. Tout cela par-dessus moi, calé entre les deux sièges. Je sais que ce n'est pas noble, pas digne d'un Stradivarius, mais l'annonce du retour de mon rival suscita dans mon âme plus d'amertume que de plaisir. Je n'écoutai même pas Leslie narrer les détails du dénouement, je ne songeais qu'à ma personne, persuadé que Pierre, tellement heureux d'avoir retrouvé son violon bien-aimé, allait me mettre au placard avant de me renvoyer sur le marché des instruments délaissés.

Opus 6

Les choses ne se déroulèrent pas comme je le redoutais. Pierre Amoyal ne me chassa aucunement de ses pensées. Comble du bonheur pour un violoniste, il possédait deux Stradivarius et pouvait nous choisir en fonction des morceaux qu'il devait interpréter. En fait, le Kochanski et moi sonnions de façon très semblable. Notre origine commune en était probablement la cause, mais le fait d'être interprétés par la même main accentuait sûrement nos similitudes.

*

Pour sans doute mieux marquer les liens qui nous unissaient, notre maître avait acheté une boîte double dans laquelle il nous rangeait côte à côte. Jamais je n'avais eu la chance de pouvoir converser aussi commodément avec l'un de mes frères. Par bonheur, le Kochanski était un bavard et nous pûmes gaiement – l'heure était à l'optimisme – confronter nos existences.

Nous découvrîmes ainsi que nous avions tous deux été volés et étions passés près de la destruction. Chose curieuse, quasiment durant toute sa captivité, mon compère étant resté caché dans une malle au fond d'un grenier, j'en savais plus que lui sur les événements ayant abouti, au bout de quatre ans, à son retour. Je lui racontai comment son rapt avait bouleversé Pierre Amoyal et les efforts déployés pour le retrouver. Le Kochanski en fut ému.

— Crois-tu, me demanda-t-il, que nous, pauvres violons, méritons l'amour que nous portent les virtuoses ?

Je lui répliquai, un peu piqué, que sans nous, les virtuoses ne seraient rien et qu'ils servaient leur propre intérêt en nous entretenant.

— N'oublie jamais, lui dis-je, que tu vaux une fortune et que ces tas de dollars représentent ta sauvegarde. Cela dit, je reconnais que Pierre Amoyal est adorable et qu'il est agréable de sonner sous son archet.

Opus 7

De concert en concert, notre trio vivait tranquille. Je remarquai pourtant, un an après la réapparition du Kochanski, que cette situation troublait mon maître. Ses hésitations pour choisir l'un d'entre nous avant un concert, ces longs moments qu'il passait pensif et soucieux à nous regarder, me troublaient. Je n'en soufflai mot à Kochanski, qui ne réfléchissait pas beaucoup et que je reconsidérai peu à peu en rival, mais j'eus le sentiment que Pierre Amoyal ne conserverait plus longtemps deux Stradivarius de notre envergure.

Non seulement cette double possession s'avérait irraisonnable au moment où il comptait acheter une maison à Lausanne, mais je me doutais que mon maître vivait encore avec l'idée folle qu'il jouait le violon de son ami et que l'esprit de Christian Ferras habitait toujours ma caisse d'épicéa.

— Qui a deux femmes perd son âme, qui a deux violons perd la raison, l'entendis-je expliquer un jour à Guilet, premier violon du quatuor Calvet.

C'était donc vrai, l'un de nous allait être sacrifié et je savais que ce serait moi.

*

Peu après, Pierre Amoyal nous fit jouer tour à tour en répétition les morceaux de Ravel qu'il devait interpréter à Pittsburgh. Alors que le départ pour les États-Unis était fixé au lendemain, il dit à Leslie :

— La salle du Heinz est immense et, pour *Tzigane*, je vais emporter le Milanollo qui a un son plus tranchant, plus directionnel.

C'est donc chargé de mon coffret de voyage que mon maître se fit conduire à l'aéroport de Genève. Préféré, j'étais ravi, et me disais que cette décision laissait peut-être présager un autre choix, définitif celui-là. Cruelle erreur. Et vive désillusion. Nous étions à peine arrivés à hauteur du panneau annonçant Genève-Cointrin que Pierre dit à Leslie :

— Arrête ! C'est ridicule, mais j'ai l'impression que le Kochanski resté à la maison m'envoie des ondes et me répète : « Tu te trompes, c'est moi qui dois jouer à Pittsburgh, Christian, lui, m'aurait choisi ! »

Sa compagne ne fut pas trop étonnée, elle connaissait son mari. Nous fîmes donc demi-tour et je me retrouvai vingt minutes plus tard esseulé dans la double boîte. Je compris que ce voyage manqué annonçait mon congé prochain. J'en fus triste mais ce n'était pas la première fois qu'une telle épreuve survenait. Je décidai de l'affronter avec panache, comme une envolée de Paganini !

Seizième livret

La belle vie

Opus 1

J'avais vu juste, Pierre Amoyal mit fin à la situation qui l'obsédait. Il chargea M. Claude Lebet, alors établi à La Chaux-de-Fonds, de me trouver un acquéreur. J'avais entendu parler de ce jeune et brillant luthier qui réparait les instruments de la plupart des violonistes italiens et en le rencontrant je le trouvai d'emblée sympathique. Comme Étienne Vatelot, il savait parler aux instruments et m'accueillit avec gentillesse :

— Ne te tracasse pas, *bellissimo* Milanollo. Être joué plusieurs années par Pierre Amoyal a été une chance. Tu en as profité, maintenant prépare-toi à entreprendre une autre aventure. Je t'envie, moi qui reste confiné dans mon atelier. Si tout va bien, tu iras à Venise où un collectionneur, par ailleurs bon violoniste amateur, veut te garder auprès d'un autre Stradivarius. Tu le connais du reste : il a été, peu de temps hélas !, la propriété de Maria, la sœur de Teresa. Cet instrument ne te vaut évidemment pas mais c'est un bon et solide violon qu'on appelle le Hembert. Reconstituer, presque cent ans après, le duo magique des Milanollo, n'est-ce pas un merveilleux programme ?

*

Voilà comment je suis arrivé dans une ville inconnue dont les rues sont des rivières où se croisent d'étranges bateaux noirs à la pointe recourbée. Claude Lebet me déposa chez mon futur maître, un notaire, personnage bizarre qui vouait une passion quasi religieuse aux œuvres d'Antonio Stradivarius. L'affaire fut conclue dans un vieux palais humide où je retrouvai le Hembert qui, j'en fus content, n'avait pas changé depuis la période bénie où les deux sœurs se faisaient acclamer en Europe. Certes, il n'avait pas eu la chance d'être, comme moi, joué par les meilleurs mais il est vrai qu'il n'a jamais bénéficié de ma sonorité ni de mon timbre mordant.

Pendant que les hommes signaient des papiers, il me parla du notaire, un amateur averti entourant ses violons de soins si méticuleux qu'ils frisaient parfois la maniaquerie.

— Tu vas voir, me prévint-il, il va t'inspecter pendant des heures avec sa grosse loupe. J'espère que tu n'as pas de défaut caché ! Si c'est le cas, tu es bon pour aller voir les luthiers. Je dis les luthiers car il y en a plusieurs à Venise et Me Botempelli ne se contente pas d'un seul avis. Moi, j'ai été détablé par deux d'entre eux, que notre maître a quasiment obligés à procéder à une opération inutile. Cela dit, ce bonhomme un peu fantasque est agréable, gentil, même trop gentil à l'égard de ses violons.

— Tu dis « ses » violons, il y en a d'autres ?

— Oui, un bon instrument de François Médard, un Français, élève de notre père Antonio, et un Guadagnini un peu bâtard devenu son chouchou. Il a fait changer la moitié de ses pièces et le considère comme son enfant. Quand je te dis qu'il est étrange !

*

Mᵉ Botempelli parut content de son acquisition.

— Nous allons fêter l'événement demain à la Scuola Grande di San Rocco, expliqua-t-il à Claude Lebet. Il se trouve que j'avais réservé la salle pour offrir un concert à mes amis. Ils vont être comblés !

Ainsi, deux excellents violonistes, comme il y en a tant à Venise, jouèrent sous les fresques du Tintoret un double concerto de Bach. J'éprouvais une étrange sensation en m'entendant résonner à nouveau en compagnie du violon de Maria. Je connaissais ces œuvres depuis la cour de Khoten et, tandis que Pietro Mazonni, un géant, faisait vibrer mes cordes, j'avais loisir de revivre des souvenirs en train d'affluer par vagues. Je me rappelais les robes portées par les deux sœurs, les effluves du parfum au jasmin de la chère Teresa. Et ce alors qu'il m'était difficile de rapprocher le coup d'archet court et puissant du Vénitien du geste aérien plein de finesse de l'aînée des demoiselles Milanollo.

*

Notre duo fraternel connut d'autres occasions de se réunir en concert, jusqu'au jour où le notaire, à force de m'examiner à la loupe, découvrit en haut de ma table le microscopique trou de ver aperçu par Teresa il y avait très longtemps. L'animalcule mélomane avait signé d'un point d'aiguille son passage dans mes fibres. L'incident remontait peut-être à mon séjour chez le brocanteur, trop à touche-touche du hibou empaillé. Mais cette trace, invisible à l'œil nu, qui n'avait jamais eu de conséquence sur mes qualités sonores, prit aux yeux de mon maître l'allure effrayante d'un acte officiel falsifié.

Il me traîna chez ses luthiers qui, tous, l'assurèrent qu'elle n'avait aucune importance, écrivit lettre sur lettre à Claude Lebet qui, inquiet, finit par débarquer à l'étude. Le luthier tenta de raisonner Me Botempelli mais ce dernier ne voulut rien entendre. Ma piqûre d'aiguille incarnait à ses yeux une blessure profonde qui dévaluait, déshonorait même sa collection.

Claude Lebet dut même accepter d'accompagner le notaire dans une démarche, avec le recul, un peu ridicule. Le tabellion connaissant le médecin-chef de l'hôpital de Venise, c'est là qu'ils me conduisirent un matin. Où, me faisant passer avant tous les autres patients, on me fit « radiographier ».

Le médecin, évidemment, ne détecta rien sur les clichés mais mon maître, en proie aux tourments du doute et des regrets, ne fut pas pour autant rassuré.

— Je n'en peux plus, finit-il par expliquer à Claude Lebet, trouvez-moi un autre Stradivarius de 1703 que je puisse échanger contre ce Milanollo de malheur.

Devant une telle obsession, le luthier baissa les bras :

— Je vais essayer, mais je peux vous assurer que vous ne ferez pas une bonne affaire.

Opus 2

C'était la première fois qu'une pareille mésaventure m'arrivait. Moi qui étais habitué aux compliments, dont on avait sans cesse vanté la beauté et les qualités, je devais subir la honte d'être traité comme un violon perdu, un malade incurable !

Claude Lebet allait-il me libérer des fantasmes du notaire ? Ce déboire pathétique abîmerait-il ma réputation, ma valeur artistique et même marchande ? Je pensais bien qu'il dénicherait dans sa clientèle le collectionneur fortuné désireux de posséder un Stradivarius aux références aussi prestigieuses que les miennes, un bon amateur qui me jouerait avec amour et ne me chercherait pas des vers dans la volute, mais ce dernier épisode ébranlait un peu mes certitudes liées à tant d'années de gloire. À tel point que je n'osais plus penser à tomber entre les mains d'un virtuose qui me rendrait à ma vraie vocation de violon de concert.

*

J'ai appris plus tard que M. Claude Lebet, qui venait de quitter La Chaux-de-Fonds pour tenir le plus grand atelier de lutherie de Rome, n'avait guère eu de peine à me trouver un noble propriétaire. Encore que la cession donna lieu à une comédie burlesque.

Il se trouvait que Claude Lebet avait vendu peu de temps auparavant un Stradivarius de 1703 à un grand chirurgien de Lausanne, par ailleurs très bon violoniste. Or, après quelques mois, le docteur Paul Zuber avoua à son ami que la puissance du violon ne le satisfaisait pas entièrement. Le luthier dont le métier, en dehors de l'art de fabriquer et de soigner les instruments consiste aussi à savoir lequel convient à un client précis, se souvint que le médecin lui avait conté, au début de leurs relations amicales, son émotion d'enfant en écoutant Christian Ferras jouer Salle Gaveau le *Concerto en sol majeur* de Mozart. Quand Me Botempelli me manifesta tant d'hostilité, l'évidence lui sauta aux yeux : un échange pouvait faire deux heureux ! Sans trop croire au miracle, il organisa cependant un voyage à Venise et un rendez-vous entre les deux fous de musique.

*

Je ne peux oublier l'excitation du notaire lorsque, un jour de 1995, il me mit entre les mains d'un violoniste que je reconnus être celui m'ayant joué le premier soir à la Scuola Grande di San Rocco. Nous trouvant dans le salon de l'étude, moi qui avais tout suivi de cette cabale et de cette astuce intelligente et malicieuse, je compris que nous attendions la visite de Claude Lebet.

Le luthier arriva place Santa Maria Formosa accompagné d'un homme élégant qu'il présenta comme le docteur Paul Zuber, de Lausanne, propriétaire d'un Stradivarius, le Rynbergen, ancienne possession du roi de Prusse. Il sortit d'un étui ce violon couronné et je constatai qu'il s'agissait d'un instrument faisant honneur à notre père. Mᵉ Botempelli parut satisfait et commença à promener sur lui sa grosse loupe. Après un bon moment, il dit :

— Ce violon, au moins, n'est pas mangé par les vers !

Il tendit l'instrument à son violoniste, Pietro Mazzoni, qui, je le compris, se trouvait là pour comparer nos qualités. Le Rynbergen était beau, fin, racé comme moi, mais ses possibilités sonores égalaient-elles les miennes ? J'espérais que l'arbitrage ne compromettrait pas mon départ vers la Suisse, ses lacs et ses montagnes.

*

Je fus déçu. Quelques mesures suffirent à Pietro Mazzoni pour juger que ma puissance sonore se révélait bien meilleure et qu'un troc ne serait aucunement équitable. Le docteur sembla aussi consterné que le notaire excité. Ce dernier avait écouté sans prononcer une parole et tout le monde attendait qu'il s'en remette à l'avis de son expert et renonce à l'échange. Mais la chance, une fois encore, penchait de mon côté. Tout content, il s'écria :

— Moi, je préfère le roi de Prusse ! Docteur, c'est le nom que portera votre violon si vous acceptez que nous fassions l'échange de nos Stradivarius. Dieu soit loué, qui me permet de réunir ces deux enfants du grand Antonio, nés la même année à Crémone, en 1703 !

Les collectionneurs, décidément, m'étonneront toujours ! Mᵉ Botempelli, hilare, alla chercher le Hembert et brandit à bout de bras ses deux Stradivarius. Moi, j'étais déjà rangé dans ma boîte, prêt à quitter Venise, cette ville dont les humains ne reviennent, paraît-il, que riches de superbes souvenirs.

Opus 3

J e vécus le voyage vers la Suisse tel une délivrance. Mes compagnons étaient heureux comme des garnements d'avoir mené à bien leur entreprise aussi audacieuse qu'improbable. Le docteur ouvrait ma boîte à chaque instant pour me regarder et me caresser. Il ne cessait de parler de moi à son ami :

— Merci, Claude, de me permettre de réaliser le rêve de toute ma vie : retrouver le Milanollo de Christian Ferras qui a fait de moi, encore enfant, un amoureux de la musique !

*

Tandis que M. Lebet poursuivait son voyage jusqu'à Rome, je découvrais ma nouvelle demeure, harmonieusement posée au bord du lac, tout près de Lausanne.

Je n'étais pas le roi de Prusse, mais la famille Zuber m'accueillit comme un prince. Elena, l'une des grandes filles de la maison, jouait du violon. Fort bien, je m'en rendis compte tout de suite car c'est elle qui, la première, promena l'archet sur mes cordes soudain ranimées. De son côté, Mme Zuber me trouva beau. Elle semblait surtout ravie de lire le bonheur étinceler dans les yeux de son mari. Quant aux deux jeunes garçons, ils regardèrent avec curiosité ce violon qui ressemblait à tous les autres mais dont l'arrivée bouleversait leur famille.

*

Le docteur, lui, cherchait une partition dans la bibliothèque, les larmes aux yeux :

— L'instant est solennel, s'émut-il. Je n'avais jamais imaginé que je pourrais un jour jouer le *Concerto en sol majeur* de Mozart sur le Milanollo. Que Christian Ferras me pardonne si je ne me montre pas à la hauteur des qualités extraordinaires du violon dont il a tiré, durant quinze ans, des sons inoubliables.

Zuber n'était pas Ferras mais ce premier contact avec celui qui m'avait sauvé de la vindicte du notaire représenta une révélation. Le médecin jouait en effet mieux que nombre de professionnels. Son irréprochable pureté dans les notes aiguës me surprit, comme son vibrato bien maîtrisé.

Opus 4

Paul Zuber partageait sa vie entre la médecine et la musique. Sitôt revenu de l'université où il professait, il venait me prendre sur le piano où j'occupais une place bien en vue, ce qui me convenait car lorsque je n'étais pas sous son menton ou celui de sa fille, je pouvais ainsi suivre la vie de la famille. Son épouse recevait beaucoup et j'apprenais souvent grâce à ses visiteurs le passage à Genève ou à Lausanne de musiciens connus. Presque tous, après leur concert, se voyaient invités à la maison et mon maître était fier de me présenter. Le pianiste roumain Radu Lupu, un familier des lieux, accompagnait ainsi parfois le docteur dans une sonate ou une fantaisie de Schubert.

*

Le grand jour était le jeudi, soir de récital chez les Zuber. Le médecin réunissait à sept heures son quatuor composé de vieux amis, fanatiques comme lui de musique de chambre. À l'exception de M. Jacques, qui tenait un alto de Guarneri, ils ne possédaient pas le niveau de mon maître mais l'ensemble était de haute tenue et je prenais du plaisir à jouer ma partie. La vie errante des grands virtuoses ne me manquait pas. Tout du moins pas encore. Pour l'heure j'étais épanoui dans cette demeure et famille accueillantes, havre de grâce, refuge du contrepoint.

*

J'avais juste de la peine parfois pour mes trois compagnons, violons de bon aloi que le docteur délaissait à mon profit. Celui qu'il jouait le plus souvent avant mon arrivée, un superbe Guadagnini, méritait le plus grand respect. Il avait appartenu au grand concertiste Arthur Grumiaux. Le deuxième, un Tononi, italien de petite naissance mais à la belle sonorité, et le troisième un Lambert, français de vieille souche, complétaient la collection. Notre entente, malgré mon arrivée les éclipsant un peu, fut des plus cordiales.

Opus 5

Le temps, c'est le cas pour les humains comme je l'ai dit, passe plus vite lorsque tout va bien. Je voyais au fil des mois, des saisons, les années se dérouler sans pouvoir en calculer le nombre puisque, je l'ai souvent répété, les violons ne comptent pas. Je me suis régulièrement demandé si cette particularité constituait un avantage, aujourd'hui je crois que oui. Que gagnent les hommes à mesurer sans cesse le temps qu'il leur reste à vivre ?

*

Je philosophe volontiers, ce qui étonne bon nombre de mes frères violons ; j'aime aussi savourer dans la quiétude les dernières louanges qu'on m'a décernées.

Ainsi un jour, je me retrouvai sous le charme d'un violoniste français, Patrice Fontanarosa, qui, la veille, avait fait mon apologie après m'avoir joué dans la *Passacaille* de Haendel. Il avait dit au docteur combien il l'enviait de détenir un violon possédant des qualités sonores exceptionnelles autant qu'un passé prestigieux.

Je goûtai le compliment mais aurais surtout rêvé que, dans la succession des virtuoses défilant à Lausanne, apparût un jour celui que j'attendais de toute mon âme, Pierre Amoyal, à qui j'avais pardonné de m'avoir vendu au notaire vénitien. J'étais sûr que lui aussi goûterait le bonheur de me retrouver, l'espace d'une improvisation sur un thème de Bach ou de Brahms.

*

Un soir, alors que mon maître s'apprêtait à venir me chercher sur le piano, le téléphone sonna. Une drôle d'invention que ce robinet à paroles pendu au bout d'un fil ! Je ne pus naturellement écouter ce qu'on disait au docteur Zuber mais ses propos m'intriguaient :

— Je suis heureux que vous acceptiez de me donner quelques leçons... J'aimerais en effet perfectionner ma technique... Oui, le violon reste ma passion... Je viendrai donc demain au Conservatoire à cinq heures. Et vous aurez une surprise !

Il me parut bizarre qu'à son âge le maître retourne au Conservatoire qu'il avait, je le savais, fréquenté dans sa jeunesse. Et il avait parlé d'une surprise. Pour un violon curieux, cela incitait à s'interroger. Aussi je ne fus guère attentif ce soir-là à la partition choisie.

Je dus attendre le lendemain pour découvrir, éberlué, que la surprise c'était moi et que le professeur fraîchement nommé au Conservatoire n'était autre que Pierre Amoyal ! Naturellement, celui-ci me reconnut au premier regard.

— Caprice du destin ! s'écria-t-il, voilà le Milanollo revenu à Lausanne ! Comment, docteur, avez-vous réussi à le reprendre à ce vieux fou de notaire ?

Le médecin conta avec jubilation l'équipée de Venise. Si bien que le premier cours releva plus de la conversation passionnée que d'une leçon de violon traditionnelle. On n'alla pas loin ce jour-là dans le concerto de Mendelssohn mais mon ancien et mon nouveau propriétaire devinrent d'emblée amis.

Pierre Amoyal fut, ensuite, un hôte assidu de la maison. Il me joua souvent lors de ses visites et même une fois en concert.

DIX-SEPTIÈME LIVRET

Milanollo l'immortel

Opus 1

Le docteur, qui veillait sur ma santé aussi bien que sur celle de ses patients, décida un jour de me faire ausculter et, si besoin, soigner par Claude Lebet. Je partis donc, en compagnie de sa fille, pour Rome où le luthier m'accueillit comme un vieil ami. Durant une semaine, il me bichonna, mot qui me réjouit depuis le jour où je l'ai entendu prononcer par Mme de Pompadour à l'adresse de son bichon, petit chien antipathique que les aigus du violon faisaient grogner. Leclair non plus n'appréciait pas l'animal mais, hypocrite, pour être bien en cour, lui accordait des mamours qui m'agaçaient. Mais je parle d'un temps bien éloigné...

*

À l'inverse de ses prédécesseurs, Claude Lebet ne me détabla pas. Mieux, grâce à des techniques nouvelles, il aspira d'abord les poussières accumulées à l'intérieur de ma caisse, qui auraient pu à la longue affecter mon timbre. Ensuite il gomma les petites traces de sueur qui tachaient mon vernis, rectifia la position de l'âme et remplaça les chevilles d'ébène jamais changées depuis mon séjour chez Dragonetti. Son premier compagnon les sculpta à l'identique au canif et j'ai fort admiré son adresse.

Bref, recordé, réglé comme du papier à musique, poli à la peau de chamois, j'étais comme neuf quand le docteur Zuber vint me récupérer et me rapporta à Lausanne.

Mon retour fut fêté aussi chaleureusement que mon arrivée dans la maison. Chacun s'extasia de ma bonne mine, caressa mon vernis auquel les ans avaient donné une patine dorée. Mme Zuber épilogua sur le vieillissement des humains comparé à l'éternelle jeunesse des grands violons :

— Que penserait aujourd'hui Antonio Stradivarius s'il pouvait voir son chef-d'œuvre ?, songea-t-elle à voix haute.

— Les génies savent qu'ils créent pour l'éternité !, conclut le maître qui tint à me jouer le soir même.

Opus 2

Les années de la maison du lac resteront, dans mes souvenirs, parmi les plus heureuses. Cependant, tandis que j'en appréciais les délices, je ne pouvais m'empêcher de cogiter, de me dire que ma vie s'étant toujours déroulée dans un cortège de changements inattendus, bientôt ma destinée me conduirait ailleurs.

*

Je ne me préoccupais d'ailleurs de rien, ce soir-là, bercé par le silence inhabituel qui régnait dans la demeure. Le docteur et sa femme se trouvaient au festival de Divonne, un événement musical qui réunit des jeunes artistes peu connus mais talentueux. Et moi, je me laissais languir, attendant la main qui aiderait ma fougue à rejaillir.

À leur retour, ils parlèrent avec enthousiasme de ces espoirs de la musique dont quelques-uns, annonçaient-ils, semblaient promis au succès. Ils avaient particulièrement apprécié une violoncelliste française dont j'ai oublié le nom et, surtout, distingué un virtuose canadien. Ce jeune talent, il en fut encore longuement question lors d'un dîner auquel assistaient Pierre Amoyal et sa femme. La porte du salon de musique étant restée ouverte, je pus apprendre que ce jeune homme avait en même temps suivi des études de violon, de piano et de mathématiques, qu'à seize ans il avait obtenu un master et à dix-huit un doctorat à l'Indiana University. Autant de titres impressionnants qui me prouvèrent à nouveau combien les humains font grand cas des études et des diplômes.

Tous les grands virtuoses, il est vrai, ont eu des maîtres à leurs débuts. Nous, les violons, nous n'avons rien à apprendre, possédant dès la naissance les qualités dont notre père luthier nous a dotés. Quant au diplôme, il se résume à un petit morceau de papier collé au fond de notre caisse.

Ceci pour vous expliquer que le « jeune homme de Divonne » a évidemment excité ma curiosité. Que je me mis à espérer qu'il vienne un jour me faire jouer le *Poème* de Chausson qui avait séduit M. et Mme Zuber lors du festival, tant j'entends encore le docteur vanter ses mérites : « Sa sonorité est exceptionnelle, sa musique élégante, intelligente, personnelle, avec une retenue qui cache beaucoup de profondeur. » Je n'avais encore jamais, en vérité, entendu mon maître dresser avec tant d'enthousiasme les louanges et l'éloge d'un violoniste.

Opus 3

Le temps passa, deux années disait le docteur. Et ce qui devait arriver arriva. Le nommé Corey, l'artiste prometteur qui participait au festival de Verbier, se vit invité à la maison. D'emblée, je fus envoûté. Il était beau, grand, séduisant. Son visage ouvert avait gardé un air enfantin et il riait, heureux, fier aussi de se trouver dans cet aimable sanctuaire de la musique. Il avait apporté son propre violon, que le docteur scruta en connaisseur. Après l'avoir retourné dans tous les sens, il déchiffra l'étiquette et lut à voix haute : « *Pressenda, fecit Torino 1836* ».

— C'est un bel instrument, dit-il. J'ai possédé autrefois un Pressenda, mais il jouait un peu en dedans... Aujourd'hui, je voudrais que vous essayiez mon Milanollo. Vous devriez en tirer des merveilles.

Corey écarquilla les yeux en entendant la proposition puis en me découvrant. Comme il tremblait lorsqu'il saisit mon manche, je voulus croire qu'il était intimidé par ma perfection. Il prononça un simple : « Magnifique ! », avant de rectifier mes accords et de me porter à son cou.

Je sentis tout de suite qu'il me ferait vibrer à la façon des meilleurs, aussi me laissai-je aller en jouant sereinement la première partie d'une sonate de Brahms.

Toute la famille l'écouta, figée dans une sorte de béatitude. Il me sembla même, entre deux élans d'archet, que le docteur essuyait une larme. Je sentis de mon côté, au frémissement de mes faisceaux de fibres, qu'il se passait quelque chose. À la fin du morceau et des applaudissements, la servante (je parle toujours comme au temps de la cour de France) apporta des rafraîchissements. N'y tenant plus, le docteur demanda au jeune virtuose ce qu'il pensait de son Stradivarius. La réponse – pardon pour ma suffisance – ne pouvait être qu'enthousiaste :

— Jouer l'un des meilleurs violons du monde est pour un interprète de mon âge une aventure fantastique, inespérée ! Merci mille fois.

Après un instant de silence, Paul Zuber reprit :

— Corey, il y a deux ans, à Divonne, vous nous avez conquis, ma femme et moi, avec le *Poème* de Chausson. Voulez-vous le reprendre ce soir ? Joué sur le Milanollo, ce sera pour nous un grand bonheur !

Ce morceau qu'aimait Christian Ferras, je l'interprétai avec ferveur. Il obtint, au sein de ce cercle familial conquis et exigeant, un succès qui valait celui d'une salle de concert. Tous les yeux brillaient lorsque scintilla la dernière note.

*

Il était tard, mais personne ne désirait que la soirée prît fin. Elle s'acheva pourtant sur un coup de théâtre.

Alors que Corey se levait pour prendre congé, le docteur lui saisit les paumes et le regarda droit dans les yeux :

— Jeune homme, le Milanollo est heureux entre vos mains. Mieux, il retrouve le caractère qu'il avait du temps de Christian Ferras. Ce sont tous les souvenirs musicaux de ma jeunesse qui me submergent lorsque vous jouez mon Stradivarius. Quand vous l'avez reposé, avec un respect touchant, nous nous sommes regardés ma femme et moi, et la même idée a traversé nos esprits. Le Milanollo est radieux sous votre férule, vous êtes fait pour lui et lui pour vous. Eh bien, vous allez l'emporter ! Nous vous le prêtons afin que vous le fassiez chanter aux quatre coins du monde.

J'étais littéralement abasourdi. Corey aussi, qui bégaya :

— Mais c'est votre violon. Vous le jouez, je ne peux pas vous l'enlever !

Le docteur sourit :

— Je le jouais, mais pas bien. Le Milanollo est trop fort pour moi. Depuis des années que je le pratique, j'ai encore de la peine à maîtriser sa puissance. Vous, il vous a tout de suite reconnu, il donne dans vos mains le maximum de ses possibilités. Voilà pourquoi je vais reprendre mon fidèle Guadagnini, violon qui me fait, c'est tout de même le but, pratiquer une meilleure musique.

*

Ce n'était pas la première fois que le docteur Zuber prêtait l'un de ses violons à un jeune virtuose qui méritait, par son talent, de jouer l'instrument de grand renom qu'il ne pouvait s'offrir. Mais sa générosité lui enlevait aujourd'hui le fleuron de sa collection. Et il était si fier de me posséder !

Personnellement, de prime abord j'eus peine à concevoir cet abandon. Puis je compris qu'il était sincère en affirmant que son jeu n'était pas à la hauteur de mon tempérament et que Corey, lui, parviendrait à sortir de ma frêle caisse de sapin les sons les plus parfaits. L'amour de la musique et sa dévotion au violon avaient dicté à mon maître une décision d'une générosité inouïe. J'avais toujours su qu'il était un homme exceptionnel ; une nouvelle fois il le confirmait.

Quand je vous expliquais que l'imprévu régissait ma vie ! Cette fois, mon sort s'était joué sur quelques notes de Chausson. Après tant d'années de calme, passées à être choyé au sein d'une famille unie et sereine, je me trouvais subitement relancé dans le tourbillon des concerts en public. Avec le jeune et talentueux Corey, cette autre aventure m'enchantait.

Opus 4

Il est toujours stressant de changer de vie. Je dis « stressant » pour parler comme les humains qui n'ont plus que ce mot à la bouche, se prétendant « stressés » à tout bout de champ. Pourquoi pas moi, dont la carcasse était astreinte à se plier à de nouvelles habitudes, à s'adapter à un autre horaire, à se familiariser à d'autres voix ?

*

Chez le docteur Zuber tout semblait immobile, les gens, les choses, les esprits. Avec Corey, au contraire la vie remuait, changeait, s'enflammait à chaque instant.

Mon maître, malgré sa jeunesse, était demandé aux quatre coins du monde et nous passions notre vie en avion. Je vous ai déjà confié qu'il ne s'agissait pas de mon moyen de locomotion préféré, tant se morfondre dans un casier à bagages, coincé entre des sacs et des paquets n'a rien d'excitant. Heureusement, parfois, lorsque la place était libre, Corey me plaçait sur le fauteuil voisin, à ses côtés. Il lui arrivait alors d'ouvrir mon étui, de me regarder et de pincer mes cordes pour entendre ma voix même s'il n'est pas facile de dominer le bruit des moteurs.

J'appris aussi le nom de famille de mon maître. Tout le monde l'appelait Corey, mais c'était son prénom. Son nom de famille était Cerovsek. Il était né à Vancouver, ville terminus du Nord canadien dont il parlait avec émotion.

*

Je me suis réhabitué à la vie nomade sans trop de mal. Toutes ces digressions philosophiques ne me font pas oublier que je suis un violon de concert et que j'ai été construit par Antonio Stradivarius avec la mission de faire vibrer mes cordes devant un public. Grâce à Corey, j'étais comblé. En dehors des récitals où il triomphait de Boston à Londres et de New York à Berlin, il se produisait souvent avec les orchestres les plus prestigieux, ceux de Philadelphie, Detroit, Israël, Berlin, Sydney... Ces concerts me réjouissaient. Se retrouver, soliste, au milieu de quatre-vingts musiciens sous la direction d'un grand chef se révéla extrêmement grisant. Je retrouvais en somme dans les bras de ce virtuose enflammé le plaisir jadis ressenti avec mes maîtres les plus renommés.

Corey Cerovsek avait en outre une passion pour Paris, ville où il aimait vivre quand une tournée ne l'emportait pas aux antipodes. J'étais aussi heureux que lui, n'oubliant pas que Viotti et Ferras m'y avaient joué, que Teresa Milanollo y avait habité longtemps en ma compagnie.

Ah, Teresa ! Quand je pense à elle, et c'est souvent, ma chanterelle tremble comme si ses doigts venaient encore l'effleurer. Si je ne devais conserver le souvenir que d'un seul artiste parmi ceux qui ont traversé ma vie, c'est sans hésitation elle que je choisirais !

Opus 5

Je ne vais pas vous narrer les multiples concerts auxquels j'ai participé avec Corey. Toutes les salles vouées à la musique se ressemblent, qu'elles se situent à Vienne ou à Baltimore. Les chambres d'hôtel aussi. Un événement a pourtant marqué ces deux premières années. Contrairement à certains de mes anciens maîtres, mon virtuose ne me parlait guère. Par timidité ? Peur d'être ridicule ? Crainte d'être surpris ? Ou simplement parce que, légalement, je ne lui appartenais pas et qu'il refusait de trop s'attacher à moi ? Son mutisme me perturbait.

*

Un matin, pourtant, alors qu'il me plaçait dans mon étui avant de sortir, il brisa son silence et me déclara, tout joyeux, qu'il allait enregistrer plusieurs disques :

— Une énorme tâche, il s'agit des dix sonates de Beethoven, un sommet du répertoire ! Cela va se passer en Suisse. Nous prenons le TGV à dix heures.

Ça y était : le cap était enfin franchi. Corey entrait totalement dans ma vie comme moi dans la sienne. Je me demandais en outre à quoi correspondait ce TGV. Sans doute une compagnie aérienne. Le taxi, par chance, ne nous conduisit pas à Orly ou à Roissy, forteresses de béton où des multitudes d'humains tiennent en laisse des chariots en forme de valises, mais à la gare dite de Lyon que je ne connaissais pas. L'abréviation TGV cachait donc un train qui, paraît-il, roulait à une vitesse stupéfiante. En montant dans cette fusée sur rails, je me suis rappelé les wagons en bois tirés par des machines fumantes que nous empruntions avec Teresa et j'eus un pincement au cœur. Quand je pense que nous, violons, n'avons pas changé d'une ligne depuis l'époque des luthiers de Crémone, je me dis que l'espèce humaine est réellement étrange.

Le TGV nous a donc conduits à Genève où nous avons dormi. Le lendemain matin, mon maître a loué une auto pour rejoindre la ville de La Chaux-de-Fonds où devait avoir lieu l'enregistrement. Je n'ai pas profité de la promenade car Corey m'avait caché au fond du coffre et recouvert de cartons et de couvertures, redoutant, je crois, que des voleurs ne renouvellent le rapt du Kochanski.

Mais je n'étais pas au bout de mes surprises !

*

Corey m'en avait réservé une de taille. Nous étions encore loin de notre destination lorsqu'il arrêta son véhicule et me sortit de ma prison :

— Viens, dit-il, nous allons rendre visite à des gens que tu aimes bien.

À travers mon couvercle, je perçus un bruit de voix familier. Je fus fixé lorsqu'à l'ouverture de ma boîte je me trouvai face au docteur Zuber. Celui-ci, ravi de revoir son violon, n'accepta pas de me jouer, même l'espace de quelques notes, prudent et plein d'humilité devant le virtuose à qui il m'avait confié :

— Après tant de temps, ce serait un massacre, précisat-il, mais si Corey veut nous interpréter quelque chose au dessert, je retrouverai avec joie le son de mon Milanollo.

Je repris avec un peu de nostalgie ma place sur le piano pendant que mon maître de jeu évoquait son anxiété devant les difficultés qui l'attendaient à La Chaux-de-Fonds, avec le jeune et brillant pianiste qui l'accompagnait dans l'entreprise. Je retiendrai plus tard son nom, compliqué lui aussi : Paavali Jumppanen. Il était originaire de Finlande, pays, il en restait quelques-uns, qui m'était inconnu !

Comme quoi, à mon âge, il me restait encore des choses à découvrir.

Opus 6

Lorsque Corey eut remercié son bienfaiteur en jouant l'*Allegro con brio* de la *Première Sonate* de Beethoven, je réintégrai ma cachette dans le coffre et nous roulâmes vers La Chaux-de-Fonds. Paavali nous attendait à l'hôtel pour nous conduire sans attendre à l'Heure bleue, la salle où devait s'effectuer l'enregistrement. Je m'attendais à trouver un studio sévère, capitonné de cuir et me demandais pourquoi on avait été le chercher si loin quand une double porte s'ouvrit sur un magnifique théâtre.

— La salle de musique de la ville comporte plus de mille fauteuils, annonça fièrement le directeur peu après, détaillant la chaleur des boiseries de noyer et l'élégance de la scène où trônait un Steinway – un nom aussi célèbre pour le piano que l'est Stradivarius pour le violon.

— La salle est belle, ajouta-t-il, mais elle ne serait rien sans son acoustique hors du commun. Les sons, des plus aigus aux plus graves, s'y prolongent aussi divinement que dans l'amphithéâtre de Delphes. Nulle part ailleurs les sonates de Beethoven ne pouvaient trouver un aussi bon accueil. Nos appareils d'enregistrement sont naturellement les meilleurs. Mais vous pourriez ne pas croire à l'impartialité de mon éloge. Faites-moi donc le plaisir, messieurs, de monter sur la scène et de jouer quelques accords. Vous jugerez ainsi par vous-mêmes de l'excellence de cet espace unique en son genre.

J'avais écouté avec attention le responsable. S'il existe un domaine dont je puis être juge, c'est la qualité d'une acoustique. Les fibres nerveuses de ma caisse de résonance ne me trompent jamais. Eh bien, la salle de La Chaux-de-Fonds ne faillit aucunement à sa réputation : elle possède une acoustique assurément exceptionnelle !

*

Dès le lendemain, Corey et Paavali se mirent au travail. Sans que ni moi ni le Steinway ne jouions de rôles actifs dans cette préparation. Juste ceux de spectateurs passionnés.

Pendant des jours, le violoniste et le pianiste se retirèrent dans un salon et étalèrent les partitions sur la table. Ils lurent, chantèrent, gesticulèrent et même, parfois, échangèrent des propos assez vifs. Les notes de la feuille suivante les mettant toujours d'accord, ils continuèrent d'aller de l'avant dans l'œuvre du génie.

Comme Corey ne m'abandonnait pas une seconde j'ai assisté de bout en bout à ce travail préparatoire. J'ai pu ainsi me rendre compte que l'interprétation d'un tel monument musical ne commençait pas au premier coup d'archet ni à la première touche de piano.

Quatre heures de musique à saisir sur trois petits disques brillants, voilà la tâche qui nous attendait. Elle s'étala sur trois semaines et fut un incroyable moment de bonheur. Si j'avais joué assez souvent la *Sonate n° 1* et la *Sonate n° 9*, dite *Kreutzer*, les autres furent de merveilleuses découvertes.

Un seul bémol à ces heures enchanteresses : les pianos ne se transportent pas comme les violons ! Or j'aurais aimé faire un bout de chemin avec mon compagnon de La Chaux-de-Fonds. J'ai connu bien des instruments de sa qualité, mais je n'ai jamais partagé, comme avec lui, l'intense émotion de jouer Beethoven. Peut-être, un jour, les hasards de nos vies d'instruments d'exception, lui Steinway, moi Stradivarius, nous permettront d'ouvrir de concert de nouvelles partitions.

Point d'orgue

L
e destin d'un violon est ainsi : Corey ne vivra pas assez longtemps pour user les bois choisis jadis par mon père Antonio. Je ne sais si le docteur Zuber me confiera encore longtemps à ses mains expertes et son oreille rare, mais je suis heureux sous sa coupe et le sais sincère lorsqu'il assure que je suis l'un des meilleurs violons du monde. En tout cas, de vagabondage en aventure, ma vie continue à chevaucher crânement l'histoire des hommes et celle de la musique. Connu et apprécié, dès lors sans souci du lendemain, sans préoccupation pour l'avenir, je suis, et m'en trouve bien, un violon philosophe.

*

Je n'aime pas changer de maître trop souvent mais j'apprécie les nouvelles rencontres, celles par exemple de violons bien nés ou d'humains attachants. Ainsi ai-je pu, hier, approcher un homme qui m'a profondément touché.

Sans me prévenir, Corey m'a conduit dans un appartement qui domine la Seine, le fleuve qu'aimait tant Teresa. Il était convié à déjeuner et, le sachant, je me demandais bien pourquoi il m'avait emmené. La conversation accompagnant l'apéritif, cette coutume bizarre qui fait rougir les visages, m'apprit que le monsieur, grand, aux cheveux blancs et au teint de Stradivarius, connaissait beaucoup de choses sur moi, ceux qui m'avaient joué et mes tribulations dans le monde. Il avait étudié la vie de Dragonetti, était un ami de Claude Lebet et paraissait ne s'intéresser qu'aux grands violons, à moi tout particulièrement. J'en frémis d'aise. Il en savait en outre beaucoup plus sur les sœurs Milanollo que Corey lui-même. Il possédait même une photographie de Teresa en train de me serrer contre elle. Cette image prise à Nancy m'émut au plus haut point.

*

Après le déjeuner, notre hôte demanda à Corey de lui montrer son « joyau ». Le joyau, c'était moi. Or, vous savez que je ne déteste pas les compliments.

Le monsieur m'observa longuement en hochant la tête, en proie – je le devinai – à un frisson d'émotion.

— Il est splendide ! s'enflamma-t-il. Me permettez-vous de le tenir en main ? Rassurez-vous, je suis fou de musique mais ne joue d'aucun instrument.

Il me tint alors un instant à la lumière pour que mes ors étincellent et me rendit avec l'œil humide. Le vieux monsieur vivait un grand moment.

Le comprenant, Corey proposa :

— Vous connaissez tout sur le Milanollo, voulez-vous l'entendre sonner ?

C'était demander à un musicien s'il aimait Beethoven. Je mis moi-même beaucoup d'entrain à entamer le premier mouvement de la sonate de Bach que mon jeune virtuose joua aussi divinement qu'il l'eût fait dans une salle de concert.

Notre hôte remercia avec ferveur le violoniste, le violon et la providence de lui avoir permis d'entendre et de toucher le Milanollo.

Nous quittâmes un homme heureux.

Il paraît même qu'il va écrire un livre sur moi[1] !

---

1. La fin de ce roman est authentique. Il me restait quelques dizaines de pages à écrire quand j'appris par Claude Lebet que Corey était à Paris pour quelques jours. Sans le connaître, je lui téléphonai et l'invitai à déjeuner. Le lendemain, le jeune virtuose, qui jouait le Milanollo dans le monde entier, était chez moi avec son violon. Je vous laisse imaginer l'émotion de l'écrivain qui échafaude depuis plus d'un an l'histoire d'un grand Stradivarius et qui se trouve invité, comme par miracle, à l'admirer, à le toucher, à l'entendre sonner dans son salon. Jamais je n'ai autant aimé Bach. (*Note de l'auteur.*)

Remerciements

Je tiens à remercier pour leur aide, leurs conseils, leurs renseignements précieux sur le Milanollo, le luthier Claude Lebet, les virtuoses Pierre Amoyal et Corey Cerovsek. Sans oublier, pour son travail de documentation Alexis Lavis, et pour son regard éditorial Thierry Billard.

Table

Composition et mise en page

NORD COMPO
multimédia

CET OUVRAGE
A ÉTÉ REPRODUIT
ET ACHEVÉ D'IMPRIMER
SUR ROTO-PAGE
PAR L'IMPRIMERIE FLOCH
À MAYENNE EN OCTOBRE 2007

N° d'édition : L.01ELKN000119.N001. N° d'impression : 69424.
Dépôt légal : novembre 2007.
Imprimé en France